WYN A'I FYD
Atgofion a Straeon Wyn Lodwick

Wyn a'i Fyd

Atgofion a Straeon Wyn Lodwick

Awdur cynorthwyol:
Lyn Ebenezer

Disgograffi Wyn Lodwick

Y Band yn ei Le (feinil)
Jazz o Gymru (caset)
Y Cyswllt Cymraeg – Dill a Wyn (caset)
Pump Hewl i Harlem (caset)
Wyn and Friends – 50 years of Jazz (CD)

Argraffiad cyntaf: 2009

ⓗ Wyn Lodwick/Gwasg Carreg Gwalch

Rhif rhyngwladol: 978-1-84527-196-1

Mae'r cyhoeddwr yn cydnabod cefnogaeth ariannol
Cyngor Llyfrau Cymru.

Cynllun clawr: Sion Ilar/Adran Ddylunio Cyngor Llyfrau Cymru

Cyhoeddwyd gan Wasg Carreg Gwalch,
12 Iard yr Orsaf, Llanrwst, Conwy, LL26 0EH.
Ffôn: 01492 642031 Ffacs: 01492 641502
e-bost: llyfrau@carreg-gwalch.com
lle ar y we: www.carreg-gwalch.com

Argraffwyd a chyhoeddwyd yng Nghymru.

Cyflwynedig
er cof am fy mrawd
Mervyn
a'm hen gyfaill
Johnny Williams

Diolch
i
Rosemary a Ffion

Cyflwyniad

Y dyn sy'r un peth â'i gerddoriaeth

Cefn y Ship yn Nolgellau, rhyw brynhawn Sul, rhyw fis Gorffennaf, rhyw flwyddyn tua dechrau neu ganol yr 80au: roedd yr hen Ŵyl Werin yn y dref yn dod i ben unwaith eto. Ar ôl penwythnos o fwynhau cydwybodol, roedd pawb rhyw fymryn yn fflat – fel balŵn y dydd wedi'r parti. Er bod yr haul yn cynhesu'r buarth agored y tu cefn i brif ran y gwesty ac er bod pawb â'i wydr o'i flaen, gwangalon oedd y sbri.

Ac, yna, daeth y gerddoriaeth ... nodau chwareus a chynnes yn lledu trwy bawb fel chwa o ewyllys da. Cyn hir, roedd pobl yn gwenu ac yn symud ac yn dawnsio a'r awyrgylch wedi troi i fod mor heulog â'r tywydd.

Wyn Lodwick oedd yno, gyda'i glarinét a'i fand a chymysgedd o alawon – o 'Tra bo dau' i 'Willie the Weeper' – yn cynhesu corneli'r galon. Mae jazz traddodiadol yn cael effaith fel yna, a'r chwythwyr yn chwythu'r felan i'r pedwar gwynt. Allwch chi ddim aros yn llonydd; allwch chi ddim edrych yn drist.

Mae Wyn Lodwick fel ei gerddoriaeth – yn gwneud ichi deimlo'n hapus, braf. O fewn munud neu ddwy i'w weld unwaith eto, bydd eich hwyliau'n well. Yn ei nofel fawr *Un Nos Ola Leuad* mae Caradog Prichard yn disgrifio effaith côr yn canu fel petai rhywun yn mynd â'i law dros y gynulleidfa ac yn esmwytho'u talcenni. Dyna effaith cerddoriaeth Wyn Lodwick, a chwmni'r dyn ei hun.

Trwy waith teledu y des i – a Chymru – i adnabod Wyn. Ar y rhaglen 'Y Byd yn ei Le', roedd Vaughan Hughes yn mynd i'r afael â'i gocyn hitio ac roedd gen i'r gwaith o eistedd ar stôl yn dweud pethau gwirion. Ond, i lawer, Wyn a'i gerddorion oedd yr elfen fwya cofiadwy – nhw oedd band y rhaglen, yn rhoi croeso a ffarwél ac yn cyfeilio i gân ddychanol bob wythnos. Ac, felly, y daethon ni i gyd i adnabod y chwechawd smart, yn eu crysau coch a'u teis a'r cawr yn y canol, gyda'i ddwylo anferth, ei chwerthiniad mawr a'i galon fwy.

'Traddodiadol' fyddai'r gair i ddisgrifio jazz Wyn Lodwick ac mae yntau'n falch iawn o arddel y disgrifiad. Un o'i hoff ddyfyniadau ydi hwnnw gan Louis Armstrong yn cymharu jazz modern i 'ju-jitsu'. Ellington, Basie, ac Armstrong yw rhai o'r enwau mawr yn ei lyfr emynau ... a Harry Parry hefyd. Wyddwn i ddim am yr arweinydd band cynnar o Fangor nes clywed Wyn yn sôn am wrando arno ef a'r Radio Rhythm Club ar y radio pan oedd yntau'n llanc. Clarinetydd oedd Harry Parry hefyd ond, fel Wyn, roedd yn gallu troi ei law at sawl offeryn, yn fand cyfan mewn un dyn. Mae'r gair 'traddodiadol' yn cuddio'r ffaith fod Wyn hefyd yn arloeswr. Pan oedd o'n dechrau canu – flwyddyn neu ddwy ar ôl i Arch Noah lanio – roedd jazz yn cael ei ystyried yn fusnes digon amheus. Clybiau nos myglyd a thywyll oedd ei gartre, nid y capel, ac roedd ychydig bach gormod o siglo'n digwydd wrth fodd y saint. I'r byd hwnnw yr aeth Wyn a'i gefndir Cymraeg a thorri tir newydd i'r diwylliant. Efallai mai Harry Parry oedd tad jazz yng Nghymru – Wyn Lodwick yw un o'r wncwlod.

Hyd yn oed yn yr 1980au, a Wyn erbyn hynny wedi bod yn canu ers degawdau, doedd yna ddim llawer o jazz yng Nghymru. Am flynyddoedd y dyn o'r Pwll yn Llanelli oedd yn cynnau, a chynnal, y fflam. Ac ar 'Y Byd yn Ei Le' erstalwm, roedd ganddo griw o gerddorion llawn cymeriad ... John Phillips wrth y piano oedd un, Brian Breeze wedyn ar y gitâr ac, yn fwy na neb, Mervyn Lodwick, ei frawd, ar y vibes.

Mervyn oedd wedi trefnu'r alawon gwerin Cymraeg ar gyfer y band ... yr addfwyna o ddynion, yn dawelach ei ffordd na Wyn, yn hamddenol reit yn gwneud i'r ffyn yna ddawnsio tros nodau'r vibraphone. A hwnnw a'r clarinét oedd yn rhoi ei 'sŵn' i'r band. Roedd yna fwlch mawr mewn sawl ffordd pan fu farw'n llawer rhy ifanc.

Pan gyhoeddodd Wyn dâp o ganeuon gyda'i hen ffrind, Dil Jones, y pianydd o Ddyffryn Teifi a'r Unol Daleithiau, roedd adolygydd y *Guardian* (*Guardian* Llundain, nid Rhydaman) wedi cael tipyn o sioc. Roedd wedi clywed am Dil Jones ond roedd Wyn Lodwick yn ddarganfyddiad. Os cofia' i, y gair a ddefnyddiodd i ddisgrifio sain y clarinét oedd 'soulful' ... eneidfawr yn Gymraeg.

Does dim gair gwell. Mae gen i ddwsinau bellach o fersiynau, ar feinyl, tâp a CD, o diwn fawr Ellington, 'In a Sentimental Mood', a rhai ohonyn nhw gan fawrion y byd jazz. Ond does yr un yn dod yn agos at fersiwn Wyn Lodwick am ddal symlder swynol y gân. Mae fel

7

petai wedi dod o hyd i enaid yr offeryn ... dim ond meistri sy'n gallu tynnu teimlad o ddarn o bren a 'brwynen'.

Dim ond meistr fyddai wedi cael chwarae'n gyson gyda'r Harlem Blues and Jazz Band, cymdeithion i Armstrong ei hun. Cerddorion croenddu oedd y rhain ac nid ar chwarae bach y mae dynion gwyn yn cael eu derbyn i berfformio eu cerddoriaeth nhw. Nid pawb sydd berchen ar 'swing' – y peth anodd-ei-ddisgrifio hwnnw sydd wrth wraidd bron pob jazz gwerth chweil. Ond pan ddaeth y band draw yr holl ffordd o Efrog Newydd i helpu Wyn i ddathlu ar y rhaglen 'Penblwydd Hapus' dro yn ôl, mi welson ni i gyd pa mor glòs oedd y berthynas. Roedd ganddyn nhw barch at Wyn Lodwick.

Mae Wyn ei hun yn meddwl ei fod yn gwybod beth oedd y cwlwm. Mae'n credu'n gryf fod yna gysylltiad agos rhwng 'hwyl' y Cymry a 'swing' y bobl groenddu. Maen nhw wedi rhannu'r un math o orfoledd a chaledi a thristwch, a chanu yw eu ffordd o'u mynegi. I'r bobl groenddu a'r Cymry, mae hyd yn oed tristwch yn swynol.

Mae'n siŵr ei fod yn iawn, ond mae yna reswm arall hefyd pam fod y cysylltiad ar draws yr Iwerydd wedi parhau trwy'r holl flynyddoedd ... cymeriad Wyn ei hun. Mae angen haelioni i fod yn arweinydd band jazz. Mae angen rhoi cyfle i'r cerddorion eraill a gwerthfawrogi eu gwaith. Dyna pam fod offerynwyr hanner ei oed yn falch o chwarae gyda Wyn.

Mi welais i'r haelioni yng Ngŵyl Jazz Aberhonddu, rhyw dro yn y 90au. Gan Wyn a'r band yr oedd y cyngerdd ond roedd Meic Stevens – y Swynwr o Solfach – yn y gynulleidfa. O fewn dim, roedd yntau ar y llwyfan yn dyrnu drwy'r jazz a'r blŵs clasurol oedd yn rhan o'i gefndir yntau. Y Saeson yn eu hetiau boater a'u sandalau'n methu'n lân â deall o weld y dyn gwyllt o Sir Benfro a'r bonheddwr o'r Pwll gyda'i gilydd. Ond Wyn yn cael modd i fyw.

Mae yna un olygfa arall na wna i mo'i hanghofio byth ... mewn tafarn unwaith eto. Roedden ni, yng nghwmni Golwg, yn cynnal ein parti Nadolig yng Nghwm-du gerllaw Llandeilo. Bob blwyddyn, roedd un o'r criw yn cael y gwaith o drefnu'r cyfan. Y flwyddyn honno – Nadolig y Mileniwm yn 1999 – y fi a gafodd y gwaith.

Un dasg oedd dod o hyd i 'Siôn Corn', y llall oedd cael adloniant. I fi, doedd dim dewis o ran y naill na'r llall. Ray Gravell oedd Santa, ac yntau'n ymroi i'r dasg gyda'r un brwdfrydedd ag a roddodd i bopeth arall a wnaeth erioed. Doedd dim llawer o obaith ceisio cuddio pwy oedd y Santa, ond roedd yr adloniant yn gyfrinach lwyr.

Lle bach iawn ydi tafarn Cwm-du ac roedden ni i gyd – a Ray – wedi ein gwasgu i un ystafell ynghanol y trimins a'r cracers a gweddillion y ginio. Hyd y gwyddai neb, roedd yr ystafell arall yn wag. Ond, yn ddistaw bach, heb yn wybod i neb ond fi, roedd Wyn a dau o'i gerddorion wedi sleifio i mewn a gosod eu hofferynnau. Yn sydyn, ar ryw arwydd neu'i gilydd, fe drodd Cwm-du yn New Orleans. Roedd wynebau'r criw yn bictiwr ... o fewn dim, roedd jazz – a Wyn – wedi gweithio'u hud unwaith eto.

Gwaetha'r modd, dim ond o dro i dro – yn Aberhonddu, er enghraifft – yr ydw i wedi bod yn ei gyfarfod yn y blynyddoedd diwetha. Ond mae'r wên yn lledu dros fy wyneb i rŵan wrth feddwl am ei weld unwaith eto. Yn y cnawd cyn bo hir, gobeithio, a, bellach, trwy gyfrwng ei lyfr.

Dylan Iorwerth
Medi 2009

Pennod 1

Mae yna rai sy'n gweld ac yn ail-fyw'r gorffennol drwy lygaid y cof. Ond clywed fy ngorffennol drwy glustiau'r cof y byddaf fi gan amlaf. Nid lluniau sy'n dod i brocio'r cof i mi ond yn hytrach synau a seiniau'r Llanelli nad yw bellach yn bod: Llanelli fy mhlentyndod a'm llencyndod, Llanelli'r 'dref a gerais i gynt'.

Synau a seiniau fyddai'n fy nihuno yn y bore ac yn fy hwian i gysgu gyda'r nos. Synau a seiniau fyddai'n llunio fy nyddiau. Bob bore cawn fy nihuno gan sŵn clocsiau'r gweithwyr dur yn taro wyneb y palmentydd fel tipiadau cloc. Yna sgrech yr hwter saith yn peri i sŵn y clocsiau brysuro. Hwter un o'r gloch wedyn yn cyhoeddi amser cinio a'r un olaf am bump yn cyhoeddi amser cwpla gwaith.

Byddai sŵn llif iard goed Harry Bach tuag wyth o'r gloch y bore fel sŵn rhyw gawr clwyfedig yn udo. Yna, yn ymuno yn y gerddorfa gras, byddai hwteri'r llongau wrth iddynt hwylio i mewn i'r gwahanol ddociau: Doc y Gogledd, pedwar hŵt; Doc y GWR, tri hŵt; Doc Neville, dau hŵt a Doc Northumberland, un hŵt. Ar draws yr hwteri fel gwrthbwynt deuai cloncian shyntio'r trenau nwyddau a thuchan y craen mawr. A sŵn rhuthr y glo o'r howldiau yn llifo lawr o'r hoist yn rhaeadrau duon wrth i longau fel y *Polmanter* a'r *Kajak* wagu eu boliau gan siglo wrth angor.

O waith y Marshfield deuai sŵn rholiadau'r olwyn fawr a fyddai'n gweithio'r felin ddur, a sgrechiadau'r llenni metel wrth iddynt gael eu rholio, eu plygu a'u torri gan swnio fel sgrechiadau ellyllon mewn poen. Roedd cwmnïau ymhobman yn cynhyrchu nwyddau wedi eu seilio ar ddur. Dyna Batchelor Robinsons, Moorwoods, Thomas a Clement, Gwaith y Bury, yr Old Lodge, Ffowndri Waddle, Llanelli Steel, yr Hen Gastell a'r Stamping, lle câi'r sosbenni, a roddodd arbenigrwydd i Lanelli, eu cynhyrchu. Roedd gan y cyfan eu gwahanol synau.

Wedyn, roedd synau arferol y stryd: cymdogion yn cyfarch ei gilydd; Wncwl Gwilym a'i wagen a'i geffyl yn gwerthu glo; James y Ffriwt yn gweiddi enwau'r ffrwythau oedd yn ei gert. A'r casglwr rhacs, Kelly, yn chwythu ei gornet i'n denu ni mas o'n cartrefi i gyfrannu hen ddillad a sgrap. Fe enillodd e'r llysenw Kelly Twt-twt. Deuai ceffylau gwedd urddasol y GWR heibio, yn llusgo wagen wrth gyflenwi nwyddau a oedd wedi dod gyda'r trên. A Harold yr Oil gyda'i wagen danc yn gweiddi, 'Lamp Oil! Lamp Oil!' A Mam-gu'n dod allan â stên i'w llenwi o'r tap ar waelod y tanc. A Mr Purvis y dyn llaeth yn gweiddi 'Milk-o!' ac yn llenwi jwg i Mam-gu o'r tap ar waelod ei wagen danc yntau. Jac y Bigyn a'i fan *chain drive* wedyn yn gwerthu bara. Ond y sŵn melysaf i ni blant fyddai tincial clychau beics y gwerthwyr hufen iâ. Gydol y dydd fe fyddai synau diwydiannol yn gymysg â thincial y clychau a'r caniau, cloncian y tramiau a chlip-clop y pedolau a gweiddi'r masnachwyr yn creu symffoni o synau cyfarwydd a fyddai'n ein lapio fel blancedi cynnes.

Mam gydag Alwyn, Mervyn a fi yng ngardd tŷ Mam-gu tua 1932

Wedi i'r gwahanol geffylau a'u wagenni alw, fy ngwaith i fyddai casglu unrhyw dom ceffyl i Wncwl Ifor ei ddefnyddio yn yr ardd. Gwaith a achosai embaras braidd oedd hwnnw.

A seiniau wedyn. Fedra i ddim cofio byd heb gerddoriaeth. Byddai'r tŷ bob amser yn orlawn o fiwsig o ryw fath neu'i gilydd, ond heb lwyddo i foddi'n llwyr glecian y glo caled a losgai yn y grât a hisian y lampau nwy gyda'r nos. Roedd Mam yn aelod o gôr lleol tra byddai 'Nhad yn chwarae recordiau ar y gramoffon a hefyd yn chwarae'r piano. Ac Wncwl Ifor yn ymarfer ar ei glarinét byth a hefyd.

Y drws nesa i gartref Mam-gu fe fyddai'r hen Mrs Powell yn canu nerth ei phen. Fe fedra i ei chlywed hi nawr, a'i llais hi'n treiddio drwy'r wal wrth iddi ganu ei hoff gân, 'I Saw You in the Park'.

Roedd Mam, Elizabeth Mary Rees, yn dod o Gydweli, a 'Nhad, Thomas John Lodwick, yn fachan lleol o'r Felin. Bachan lleol oedd ei dad o'i flaen, sef Tad-cu, John. Roedd Mam-gu, Catherine, wedi marw ymhell cyn i fi gael fy ngeni. Roedd gan 'Nhad frawd, Wilfred, a'i blant e oedd Joyce, Gwyn a Howard. Roedd ei chwaer, Elizabeth, yn briod ag Wncwl Gwilym y Glo ond bu farw'n fenyw ifanc gan

Fi yng ngardd Mam-gu yn y tridegau cynnar

adael dau o blant, Dyfrig ac Olwen. Fe gollodd 'Nhad un o'i goesau yn y Rhyfel Mawr wrth ymladd yn Ypres. Fe wnaeth e dwyllo'i oedran er mwyn ymuno â'r Gwarchodlu, a enwyd wedyn yn Warchodlu Cymreig. Fe'i cludwyd ef adre ac i Ysbyty Llanelli a oedd yn Stebonheath. Roedd e a Mam yn mynychu'r un capel, a dyna sut y gwnaethon nhw gwrdd. Cyn hynny roedd Mam wedi bod yn gweithio mewn ffatri a oedd yn cynhyrchu arfau rhyfel lawr yn aber y Bury ger Machynys – roedd rhai o silindrau pres sieliau gwag ar y silff pen tân. Hi oedd nyrs y gwaith ac, wrth gwrs, fe fu hi'n gofalu am 'Nhad. Felly, er mai dau leol oedden nhw, falle na fydden nhw wedi cwrdd oni bai am effaith y Rhyfel Mawr. Rwy'n cofio Eddie Powell drws nesa'n cwympo ar y pafin ac yn cnoi ei dafod yn gas, a Mam yn gwnïo'r cwt â nodwydd ac edau.

Mam oedd yr unig ferch o blith pum plentyn Charles Allen Rees a Mary Jane King. Roedd teulu ochr Mam, y Jamesiaid, yn byw yn Gwendraeth Row ger y castell yng Nghydweli a'i theulu hi oedd yn cadw allweddi'r castell. Roedd Tad-cu wedi dod draw o Flaenau Gwent i chwilio am swydd yn y gwaith dur. Fe wnaethon nhw briodi a setlo lawr yn nhai'r gwaith i ddechrau, ardal a gâi ei hadnabod fel y *Forty*, am fod deugain o dai wedi eu codi yno.

Mae'n debyg fod Tad-cu yn dapddawnsiwr. Ei gamp fawr fyddai dawnsio tap ar ben casgen gwrw yn nhafarn y Myrtle ar ei ffordd adre o waith y Marshfield. Fe wnaeth Margery fy chwaer etifeddu'r ddawn, er na wnaeth hi erioed ddawnsio ar ben casgen gwrw! Tybed ai oddi wrtho fe y gwnes i ac Alwyn a Mervyn etifeddu'r synnwyr o rythm? Roedd tri o'r pedwar mab, Ifor, Bert a Charles, i gyd yn gerddorol. Yr eithriad oedd Johnny. Roedd Wncwl Charles yn arbennig yn denor da. Roedd Wncwl Bert yn chwarae'r picolo a'r ffliwt ac Wncwl Ifor yn aelod o Fand y Dref, yn chwarae'r clarinét a'r sturmant. Roedd ganddo fe *ukelele banjo* hefyd, fel un George Formby.

Ar wahân i chwarae offerynnau a gwrando ar fiwsig byth a hefyd fe fyddai Wncwl Ifor yn canu i ni, ac yn aml yn gwneud hynny wrth ein gwelyau i'n helpu ni i gysgu. Un o'm ffefrynnau i oedd 'The Laughing Policeman' a byddwn i wrth fy modd yn gwrando arno'n chwarae a chanu honno. Ond fe wnâi canu'r gân Negroaidd drist honno, 'Poor Old Joe', ddod â dagrau i'n llygaid i:

Gone are the days
When my heart was young and gay,
Gone are my friends
From the cotton fields away,
Gone from the earth
To a better land I know.
I hear their gentle voices calling,
'Poor old Joe'.
I'm coming, I'm coming,
For my head is bending low.
I hear their gentle voices calling,
'Poor old Joe'.

Alwyn a Margery yn ei gôl, fi a Mervyn y tu allan i dŷ Mam-gu yn 1937

Bob bore dydd Sul, ar ôl glanhau caetsys y caneris – roedd gan Wncwl Ifor hanner cant o adar – fe fyddai e'n ymarfer ar y clarinét yn ei lifrai. Edrychai'n smart iawn yn ei gôt goch a botymau pres a throwser du. Ar brynhawn dydd Sul fe fyddai e'n ymuno â'r band ar y bandstand ar Barc Howard. Hyd yn oed bryd hynny, rown i wrth fy modd yn gwrando arno'n chwarae'r clarinét. Miwsig gorymdeithio y byddai'n ei chwarae gan mwyaf, caneuon fel 'Goodbye Dolly Gray', un o ganeuon poblogaidd Rhyfel y Boeriaid. Fe fyddai e hefyd yn chwarae alawon Cymreig fel 'Calon Lân'. Fe adawodd e'i glarinét i fi yn ei ewyllys.

Roedd gan Wncwl Ifor hefyd offeryn rhyfeddol a elwid yn *Polyphone*, a brynwyd yn yr Iseldiroedd. Fe fyddai'n chwarae gwahanol recordiau, rhyw fath ar *juke-box* cyntefig, ac fe safai yng nghornel y gegin. Roedd e'n dalach na fi ac yn cynnwys peirianwaith

Fy nhad gyda'i gar bach tair olwyn,
a Neil yn eistedd ynddo

pres clocwaith. O roi ceiniog ynddo byddai modd dewis un o'r recordiau oedd wedi eu stacio'r tu mewn fel platiau mawr pres tua llathen o led a byddai'r miwsig yn chwarae wrth i gyfres o begiau a thyllau gyfateb i'w gilydd.

Am gyfnod bu Wncwl Ifor yn gweithio'r llwyfannau fel digrifwr gyda bachan o'r enw Jac Simmonds; Wncwl Ifor yn un bach a Jack yn un tal, tenau, a'r ddau'n cydweithio'n dda. Un noson roedd y ddau i fod i ymddangos mewn sioe ym Mhontarddulais, ond fe gollon nhw'i gilydd. A dyna ble buon nhw'n chwilio drwy'r dre am ei gilydd o dafarn i dafarn, Wncwl Ifor yn gwisgo tyrban a dillad gwynion fel dyn o India a Jac wedi gwisgo fel ficer. Erbyn iddyn nhw ffeindio'i gilydd roedd y ddau yn feddw rhacs!

Sefydliad cerddorol pwysig yn y dre oedd Cerddorfa Symffoni Llanelli a fyddai'n cwrdd yng Nghapel Als gydag Elfed Marks, a oedd yn feiolinydd, yn arwain. Roedd Elfed yn byw ar draws yr hewl a bu'n ddylanwad cryf ar gerddoriaeth ieuenctid yr ardal am flynyddoedd. Mae gen i frith gof o Eisteddfod Genedlaethol 1930, a finne'n dair oed, ym Mharc y Dre a Mam yn aelod o Gôr yr Eisteddfod, sef côr Edgar Thomas, Llwynhendy.

Fe gafodd 'Nhad waith gyda'r Gyfnewidfa Deliffon ac aeth ef a Mam i fyw yn nhŷ Mam-gu yn 38 Marble Hall Road. Oherwydd ei anabledd fe gafodd 'Nhad gar arbennig tair olwyn i deithio o gwmpas. Yn nhŷ Mam-gu y ganwyd fi, a dyma'r tŷ pwysicaf yn fy hanes i; safai ar y ffordd rhwng Capel Als a'r ysbyty.

Roedd dydd fy ngeni yn ddiwrnod stormus iawn, mae'n debyg, gydag eira trwm. Pan sylweddolwyd fod amser Mam bron â

14

chyrraedd fe redodd Wncwl Ifor lawr yr hewl i nôl Nyrs Beynon ond, erbyn iddyn nhw gyrraedd, rown i wedi dod i'r byd. Roedd blwyddyn fy ngeni, sef 1927, yn flwyddyn bwysig yn hanesyddol, fel y byddai Wncwl Ifor wastad yn fy atgoffa. Cafodd Parry Thomas, yn ei gar Babs, ei ladd ar draeth Pentywyn wrth gynnig am record cyflymdra ucha'r byd a chipiodd tîm pêl-droed Caerdydd Gwpan FA Lloegr gan fynd ag ef allan o Loegr am yr unig dro yn hanes y gystadleuaeth.

Margery fy chwaer a Mama adeg gwyliau yn y garafán

Yr ail blentyn o bedwar own i. Roedd fy mrawd mawr, Alwyn, wedi'i eni chwe blynedd yn gynharach. Flwyddyn a hanner ar fy ôl i, fe gyrhaeddodd Mervyn ac oherwydd mai dim ond 17 mis oedd rhyngon ni fe fues i a Merfyn yn agos iawn drwy'n bywyd. Yna, yn 1934 fe gyrhaeddodd Margery, y cyw melyn olaf.

Bwriad fy rhieni oedd fy enwi i yn John Allen Wynford Lodwick. Thomas John oedd enw 'Nhad a daeth yr Allen o enw Tad-cu, tad Mam, sef Charles Allen Rees. Wn i ddim o ble daeth y Wynford. Ond dyma Mam yn sylweddoli y byddai llythrennau cyntaf John Allen Wynford Lodwick yn sillafu JAWL. Felly dyma newid trefn yr enwau i Wynford John Allen Lodwick!

Bydd amryw yn gofyn am esboniad ar darddiad y cyfenw Lodwick. Wel, cyfenw Fflemeg yw e, sef Lodevijk, a chrefftwyr mewn gwaith llaw oedden nhw yn gyffredinol ac mae'n debyg mai gwehyddion mewn sidan oedd rhai ohonyn nhw. Yn yr unfed ganrif ar bymtheg, roedd bri mawr ar eu gwaith yng ngolwg y brenin ond wedyn fe gawson nhw'u hymlid gan ddod draw i Gymru ar yr un adeg â'r Huguenots. Roedden nhw'n berchen ar chwe fferm yn sir Gaerfyrddin ac rŷn ni wedi bod yma ers hynny.

Pan own i'n dair oed fe symudodd y teulu i Bontypridd, yn ardal Rhydyfelin, lle roedd 'Nhad wedi cael gwaith arall ar y teliffons. Fe

*Mam a Margery yng ngardd
78 Marble Hall Road yn y
pedwardegau*

gawson ni gartref yn 7 Holly Street yn y dref. Fe ddechreuodd Alwyn fynd i'r ysgol yno ond rown i'n rhy ifanc. Rwy'n cofio'r cymdogion yn synnu o glywed teulu cyfan yn siarad Cymraeg ac rwy'n cofio hefyd 'Nhad, a oedd wedi dod â'i gramoffon Columbia gydag e, yn chwarae stwff gan Peter Dawson, darnau fel 'Sheep May Safely Graze' ac 'In a Monastery Garden'. Ffefrynnau eraill oedd 'In a Persian Market' gan Ketelby, a Thalben-Ball yn chwarae 'Parade of the Toy Soldiers' ar yr organ, a darnau poblogaidd gan gyfansoddwyr fel Percy French ac Irving Berlin.

O Bontypridd roedd hi'n haws teithio i Gaerdydd ac rwy'n cofio yn blentyn clywed y caneuon yn arllwys mas o'r siopau cerdd oedd yno. Fe ddysgais i'r dôn 'San Sebastian' ar fy nghof. Roedd cael mynd i Gaerdydd yn antur fawr gan ei fod gymaint yn fwy o le na Llanelli.

Ond doedd y teulu ddim yn hapus ym Mhontypridd, yn enwedig pan ddeuai Wncwl Ifor lawr am dro o Lanelli gyda llond ei bocedi o losin a llond ei ben o hanesion am yr hen ardal. Yn y diwedd, ar ôl tair blynedd, fe gynigiwyd jobyn arall i 'Nhad 'nôl yng nghyfnewidfa deliffon Llanelli ac rwy'n cofio'n dda ddychwelyd yno a chael fy ngyrru mewn tacsi o'r stesion heibio i dafarn yr Half Moon a Chapel Als 'nôl i 38 Marble Hall Road. Roedd hi'n bwrw glaw mân ar y pryd a byth wedyn, pan fydd hi'n bwrw glaw mân, rwy'n teimlo'n gartrefol. Yn wir, glaw mân yw fy hoff dywydd i.

'Nôl i dŷ Mam-gu yr aethon ni. Mae'r darlun o gartref Mam-gu yn dal yn fyw yn fy nghof. Roedd yno barlwr, lle roedd Beibl mawr y teulu ar y bwrdd ynghyd â dant eliffant a chragen fawr o lan y môr. Ond, y dyddiau hynny, mannau i osod jeli i setio ac i gadw cyrff mewn eirch oedd parlyrau. Byddai bywyd, gan mwyaf, yn troi o gwmpas y gegin. Nos Sul fyddai'r noson fawr: Tad-cu yn sugno ar ei getyn yn y gornel a'r stafell ffrynt yn orlawn o bobol yn llawn cleber wedi galw ar y ffordd adre o'r cwrdd, lle bydden nhw'n trafod y bregeth, y tywydd a pherfformiad tîm rygbi'r dre'r diwrnod cynt.

Rwy'n medru gweld cegin tŷ Mam-gu nawr: yn hongian ger y ffenest roedd darlun, *The Thin Red Line*, llun o ddewrion Rourkes Drift yn amddiffyn eu hunain rhag rhyw anwariaid duon yn taflu gwaywffyn. Prydeinig iawn. Yn y gegin hefyd roedd yna weierles wedi ei hadeiladu gan Wncwl Ifor. Un o'i arwyr mawr oedd John Scott-Taggart, golygydd y cylchgrawn *The Wireless Constructor.* Un arall oedd F J Camm, golygydd *Wireless World* a *Practical Wireless*.

Alwyn, Neil, Alan, Mervyn, a Dais a Catherine ar ymweliad â Dinbych-y-pysgod

Yn y cylchgronau hyn ceid cynlluniau ar gyfer adeiladu setiau radio, two-valvers, neu three-valvers gyda thri batri.

Yn rhifyn Rhagfyr 1932 o *The Wireless Constructor* fe gynhwysodd Scott-Taggart lasbrint manwl ar adeiladu radio ST400. Fe ddysgodd Wncwl Ifor fi i adeiladu fy set fy hun, set radio grisial gyda ffôn clust wedi'i chysylltu wrthi. Rown i'n gyfarwydd, felly, â'r gwahanol elfennau roedd eu hangen ar gyfer creu set radio – y coil a'r condenser ac yn y blaen. A'r stamp ar y coil gyda'r geiriau 'What are the wild waves saying?' Fe fyddai erial hir yn rhedeg o'r gegin at bostyn hir ar ben y sièd. Un dydd roedd 'Nhad yn taenu côt o dar ar do'r sièd pan glywodd e sŵn clician. Fe sbiodd e lawr yn slei bach a gweld bachan o'r enw Gilbert Harries yn torri'r weiers oedd yn dal y polyn yn sownd. Roedd Gilbert yn dipyn o aderyn brith oedd wedi bod yn y jael. Yn wir, fe ddihangodd e unwaith o Garchar Norwich. Fe adawodd 'Nhad e i dorri'r weiren olaf cyn camu allan a rhwbio'r brwsh tar dros wyneb Gilbert. Ddaeth e ddim 'nôl wedyn.

Drwy gyfrwng un o setiau Wncwl Ifor y gwnes i glywed y ffeit rhwng Tommy Farr a Joe Louis o'r Yankee Stadium, Efrog Newydd, yn 1937. Rown i yn fy ngwely'n cysgu pan ddihunodd e fi a mynd â fi lawr yn dawel, rhag dihuno Mam-gu, i'r gegin i wrando ar y ffeit. Ond, yn bwysicach fyth, dros y setiau radio hyn y clywais i gyntaf fiwsig bandiau fel Ambrose, Henry Hall, Harry Roy, Maurice Winnick a Geraldo. Roedd gan Wncwl Ifor ddarnau setiau radio ym mhobman. Ychydig a wyddwn i ar y pryd y byddwn i, ymhen blynyddoedd, yn dod i arbenigo ar waith radio yn y Llynges. Ond un peth rwy'n ei gofio'n dda yn y dyddiau cynnar yna oedd sylwi bod

Mervyn, 'Nhad a Mam a Margery ar draeth Aberdyfi tua 1938

llenni ffenestri'r gegin, am ryw reswm, yn melynu ac yn breuo ac yn mynd yn llai. Wedyn y gwnes i ddeall mai'r rheswm oedd bod yr asid yn y batris mawr, y *lead acid accumulators*, oedd ar sìl y ffenest yn bwyta'r llenni o'r gwaelod i fyny.

Ond hwyrach mai trobwynt mawr fy mywyd, er na wnes i sylweddoli hynny ar y pryd, oedd penderfyniad 'Nhad i brynu piano yn Siop Nields am 86 gini, arian mawr bryd hynny, yn enwedig gan mai dim ond tua dwy bunt yr wythnos roedd e'n ennill. Piano Bell *overstrung* gyda ffrâm haearn oedd e ac fe gymerodd Alwyn, fy mrawd hynaf, at y piano'n gynnar iawn. Fe fyddai e'n galw yn siop gerdd Nield byth a hefyd i brynu copïau miwsig ac fe fyddai e wedyn yn chwarae darnau poblogaidd y dydd fel 'My Prayer', 'Deep Purple', 'Scatterbrain', 'Harlem' a darnau mwy clasurol fel sonatau Mozart.

Dodrefnyn pwysig iawn yn y gegin oedd y cwpwrdd llyfrau, neu'r bwces. Nid 'book-case', cofiwch, ond bwces. Rhywbeth Cymraeg oedd e i ni. Fe fyddwn i'n dringo fyny i chwilota drwy'r llyfrau, ac unwaith fe ddisgynnais i a thorri fy ngarddwrn. Roedd darllen yn cael lle pwysig, yn arbennig darllen y papurau. Fel teulu o Sosialwyr byddai'r *Daily Herald* yn cyrraedd yn ddyddiol. Rhyddfrydwyr oedd teulu Mam nes i'r symudiad Llafur ein hennill ni drosodd. Rwy'n cofio car a sticer coch arno'n galw ar ddiwrnod etholiad i fynd â Mam a 'Nhad i bleidleisio fyny i'r Bigyn.

Rwy'n cofio bod Comiwnyddiaeth yn gryf hefyd ymhlith rhai. Roedd ganddon ni athro yn yr ysgol fach a alwem yn Dai Pep ac fe fyddai e'n annerch ger Neuadd y Dref gan annog y bobol i bleidleisio dros y Comiwnyddion. Roedd athro arall yn yr ysgol fawr, Lloyd Humphreys, yn gefnogwr cryf i'r Comiwnyddion. Bachan wedi dod lawr o Flaenau Ffestiniog oedd ef.

Y papurau wythnosol a dderbyniem fyddai'r *Star*, y *Mercury*, y *Dispatch*, y *Leader*, y *Recorder* a'r *Guardian*. Ond dydd Sul oedd y diwrnod mawr o ran papurau; byddem yn derbyn y *Sunday Dispatch*,

Mervyn, 'Nhad, Margery a Neil yn y pumdegau

y *Graphic*, y *Pictorial*, y *News of the World*, yr *Empire News*, *Reynold's News* a'r *People*. Ar ben hynny fe fyddem yn derbyn y cylchgronau *John Bull* a *Tit Bits*. A chomics, wrth gwrs, yn cynnwys y *Dandy* a'r *Beano*, *Jingles* a *Film Fun*, y *Funny Wonder* a'r *Modern Wonder* ac wedyn, wrth i fi fynd yn hŷn, fe ddeuai'r *Wizard* a *Hotspur* a *Champion*.

Ond roedd dydd Sul yn ddiwrnod arbennig mewn ystyr gwahanol iawn. Byddai'r diwrnod yn troi o gwmpas y capel, sef Capel Seion y Bedyddwyr sy'n sefyll ger gwesty'r Stepney. Fe fydden ni'n mynd yn blant ac yn bobol ifanc i'r ysgol Sul, ac i gyfarfod a elwid yn Wasanaeth y Plant wedyn lle byddai T R Jones yn dangos sleidiau i ni. Yn y Festri y byddai cyfarfodydd felly'n digwydd ond wedyn fe fydden ni'n mynychu'r capel mawr ei hun i wrando ar y gweinidog, yr enwog Jubilee Young, yn pregethu. Ef oedd ein gweinidog ni drwy fy mhlentyndod ac ymlaen i fy arddegau pan ges i fy medyddio.

Fe fedra i weld Jubilee yn glir o hyd. Fe fyddai e'n gwisgo cot gynffon fain a chanddo fe drwch o wallt tywyll. Ac rwy'n cofio'i weld e yn y pulpud yn edrych arnon ni dros y sêt fawr lle byddai'r diaconiaid, yn cynnwys T R Jones, Mr Williams a Mr Walters, yn eistedd. Roedd Mr Walters wedi cael tröedigaeth pan oedd e ar y môr. A Twm Amen wedyn. Fe gafodd e'i lysenw am ei fod e'n Amenio popeth a ddywedai Jubilee. I ni blant, Jubilee oedd Duw, ond roedd e'n Dduw cariad, un hawdd mynd ato, yn Dduw a fyddai'n siarad yn ffeind â ni bob amser. Fe fyddai tua wyth gant o addolwyr yn mynychu'r capel. A dim ond un ymhlith llawer o gapeli'r dref oedd Seion. Roedd y lleill hefyd, Capel Newydd, Capel Als wedyn – y capeli Cymraeg – i gyd yn orlawn ac yn fôr o gân. Ar y ffordd i Gapel Seion ar gyfer y cwrdd chwech fe fydden ni'n pasio Band Byddin yr Iachawdwriaeth ar ei ffordd i chwarae ynghanol y dref. Wedyn, yn y capel, fe fyddai Jubilee yn ein cyfarch ni gyda'i lais coeth ac yn cyflwyno'r emyn cyntaf.

Rwy wedi hoffi emynau erioed. Fe fyddwn i'n dwlu ar 'Rwy'n canu fel cana'r aderyn', a 'Hoff yw'r Iesu o blant bychain', a hyd yn oed o ddyddiau plentyndod, un o'm hoff donau fu 'Diadem'. Roedd y seiniau urddasol yn creu darlun o long ryfel yn brwydro yn ei blaen drwy'r tonnau. Erbyn hanner awr wedi chwech fe fyddai Jubilee yn cychwyn ar ei bregeth, a gwnâi e ddim gorffen tan bum munud wedi saith. Ac fe fyddai e'n mynd i hwyl. Pobol fel ef oedd sêr pop eu cyfnod. Fe fyddai e'n dechrau'n weddol dawel ac araf ond yna'n adeiladu lan i uchafbwynt pan fyddai e'n llafarganu'n uchel. Ond yna'n sydyn fe fyddai e'n dod i stop sydyn a chwta. Dyna oedd ei steil e. Roedd e'n actor mawr yn ogystal â bod yn ddyn mawr ac yn bregethwr mawr. Ac, wrth gwrs, fe fyddai yna neges neu foeswers ar ddiwedd pob pregeth.

Roedd yno gôr yn y capel, a byddai Sid Lewis yn chwarae'r organ. Yn wir, fe fyddwn i'n sefyll ar ôl yn y capel i wrando ar Sid yn chwarae tra byddai'r addolwyr yn treiglo allan, chwarae tonau mawr fel 'Finlandia'. Roedd y profiad yn un emosiynol, ac yn aml fe fyddwn yn fy nagrau.

Defi Emlyn Morris oedd yng ngofal yr ysgol Sul. Roedd e'n gweithio i gwmni rheilffyrdd GWR, ac ef fyddai'n casglu'r arian ar gyfer y trip ysgol Sul blynyddol. Y dewis bob tro fyddai Porthcawl neu Ddinbych-y-pysgod gan deithio ar y trên ac fe fyddai Mam a Mam-gu'n dod gyda ni, blant. Peth mawr oedd cael gwisgo sandalau ar gyfer y trip. Ar ddiwrnod y trip, lawr â ni drwy'r Wern i ddal y trên a phan wnâi hwnnw gyrraedd, byddai Defi Emlyn Morris yn agor drysau'r cerbydau i ni gan wneud yn siŵr fod pawb yn eu lle. Ym Mhorthcawl roedd yna ffair anferth ac fe fyddwn i'n anelu bob tro am y cychod modur; roedd elfen mynd i'r môr ynddo' i mor gynnar â hynny mae'n rhaid ac fe fyddwn i'n llywio'r cwch o gwmpas ynys fechan. Yn Ninbych-y-pysgod fe fydden ni'n cael llond bol o fwyd cyn mynd i lan y môr. Ble bynnag y bydden ni'n mynd, boed Porthcawl neu Ddinbych-y-pysgod, fe fyddai Jubilee yn dod gyda ni.

Achlysur pwysig iawn ar galendr y capel oedd y Gymanfa Ganu bob dydd Llun y Pasg. Fe fyddai Neuadd y Farced yn orlawn gyda phob capel yn cyfrannu. Fe gynhelid cymanfa'r plant yn y bore a'r prynhawn, a'r gymanfa fawr gyda'r nos. Fe fyddai'r lle'n fwrlwm, a golau ym mhobman.

Neil y mab yng ngardd Mam-gu

Yn ogystal â'r trip fe gaem ni wyliau weithiau ym Mhentywyn, gan aros mewn gwersyll a berthynai i'r Cyngor, a chan fod Wncwl Ifor yn gweithio i'r Cyngor fe fydden ni'n siŵr o gael lle. Roedd yno resi o gytiau pren, ond gwersylla mewn pabell y bydden ni, pabell gron siâp cloch ac fe fedra i hyd heddiw wynto'r *methylated spirit* a gâi ei ddefnyddio i gynnau'r stof. Ar hyd y traeth fe fyddai ceir cyflym yn rasio, a ninnau mewn man diogel yn chware criced. Ar y bws y bydden ni'n mynd ond un flwyddyn fe benderfynodd Alwyn fynd ar y beic, taith o ddeugain milltir. Ar ei ffordd adre roedd hi'n bwrw glaw'n drwm ac erbyn iddo gyrraedd Caerfyrddin roedd e'n wlyb fel pysgodyn. Yr unig ateb oedd aros dros nos gyda'r Jamesiaid yng Nghydweli.

Dro arall fe aethon ni fel teulu i Aberystwyth a chael aros gyda Mrs Richards yn rhif 30, South Road a oedd yn agos at yr harbwr ac, i fachgen fel fi oedd â diddordeb yn y môr roedd e'n lle delfrydol. Roedd Alwyn yn ddigon hen i drefnu ei weithgareddau ei hunan ond fe aeth Mervyn yn sâl gyda'r ffliw a gorfod mynd i'w wely. A dyma 'Nhad, yn slei bach, yn mynd â fi allan a lawr i'r stesion lle ddalion ni drên a mynd fyny Rheilffordd Arfordir y Cambrian drwy Aberdyfi i Borthmadog, ac yna dal bws i Lanberis i gyfarfod â'r trên bach i ddringo i gopa'r Wyddfa. Fe fedra i gofio nawr mai pris tocyn i

Neil yng ngardd Mam-gu

oedolyn oedd 30 swllt, a hwnnw'n para am wythnos ac rwy'n cofio'n dda hefyd fod gen i fathodyn yr *Ovaltinies* ar fy nghôt. Pan glywodd e am y trip doedd Merfyn ddim yn hapus o gwbwl ond, yn rhyfedd iawn, pan oedd e'n dathlu ei ben blwydd yn 70 mlwydd oed fe drefnodd ei ferched, Catherine a Bethan, daith syrpréis bach iddo fe i gopa'r Wyddfa fel presant.

Mae un peth yn mynnu dod 'nôl byth a hefyd o Lanelli fy mhlentyndod – y golau a fyddai'n boddi'r dref bob nos. Fe fyddwn i'n sbio dros glawdd yr ardd ar nos Sadwrn yn arbennig ac yn gweld golau ymhobman, golau'r strydoedd a'r adeiladau a'r holl oleuadau neon uwchben tafarndai, siopau a sinemâu. Roedd yno chwe sinema – yr Odeon, Vintz Palace, yr Hippodrome, y Regal, y Llanelli Cinema a'r Popular.

Y sinemâu fu'n gyfrifol am ddod â dylanwad miwsig America i Lanelli. Fe fyddai ciwiau hirion y tu allan ac yn blentyn rown i'n nabod pob actor ac actores oedd yn bod. Roedd James Cagney a George Raft, Marlene Dietrich a Myrna Loy mor gyfarwydd i fi â phobol y stryd. Actorion y ffilmiau cowbois wedyn, Ken Maynard a Buck Jones. Roedd llawer o'r ffilmiau agoriadol yn y *matinée* yn rhai cyfres, gyda'r bennod yn gorffen pan oedd yr arwr a'r arwres mewn perygl mawr, a ninnau'n methu aros wythnos i weld sut fedren nhw ddod drwyddi. Roedd miwsig y ffilmiau'n bwysig, wrth gwrs, ac mewn ffilmiau yn y sinemâu y gwelais i fandiau Glenn Miller a Tommy Dorsey am y tro cyntaf. Un poblogaidd arall oedd George Formby a'i *ukelele banjo*.

Gyda 'Nhad yr awn i'r sinema i ddechrau ac fe gafodd e fynediad am ddim unwaith ar ôl i Edward VII gyflwyno cenhinen iddo ar

Ddydd Gŵyl Dewi fel aelod o'r Gwarchodlu Cymreig. Roedd y ffaith iddo golli ei goes yn y rhyfel yn ei wneud e'n ffigwr amlwg i'r Brenin ac fe gafodd e felly weld ei hun yn cael ei anrhegu gan y Brenin ar y *Pathe News*. Dyna i chi lwcus! Cenhinen yn gyfnewid am ei goes! A chael mynd i'r pictiwrs am ddim!

Fy mrawd Alwyn yn ei ieuenctid ar ymweliad â Rhosygwalia, Y Bala

Ar ddydd Sadwrn yn y Regal byddai matinis i blant gyda seddi dwy geiniog a phum ceiniog. Plant y crach fyddai'n mynd i'r seddi pum ceiniog, ond fe fyddai'r sinema'n orlawn. Gofalwr y sioeau oedd gŵr a gâi ei alw'n Carnera, enw bocsiwr enwog o'r cyfnod, ac fe fydden ni'n ei hala fe'n grac drwy rolio poteli gwag lawr y grisiau a'r ale.

Roedd yna fiwisg ym mhobman yn ystod y blynyddoedd hyn ac rwy'n cofio gweld a chlywed band o Almaenwyr yn perfformio o dan y polyn lamp nwy yn y stryd, ychydig cyn y rhyfel, a phawb yn dweud wedyn mai ysbïwyr oedden nhw. Hwyrach eu bod nhw'n iawn.

Roedd Llanelli eisoes yn dref gosmopolitan gyda llawer o fewnfudwyr wedi symud yno i weithio yn y gweithfeydd dur ac yn y dociau. Byddai llongau'n dod mewn â llwythi o brops ar gyfer y gweithfeydd glo ac yn gadael â llwythi o ddur a glo. Roedd Eidalwyr wedi ymsefydlu yno hefyd gan agor caffis ac arbenigo ar wneud hufen iâ. Dros y ffordd i Gapel Seion roedd Sartori, ac yn Stryd Stepney roedd Perigo. Teulu arall o Eidalwyr yn y dre oedd Antoniazzi. Fe fyddai'r Eidalwyr yn mynd o gwmpas y dre yn gwerthu hufen iâ ar feics tair olwyn arbennig gyda bocs mawr y tu blaen. Serch hynny, nid nhw fyddai'r unig rai i arbenigo mewn hufen iâ; roedd Siop Eiddwen yn gwerthu hufen iâ hyfryd ac yn Siop Cooper hefyd roedd yna hufen iâ blasus iawn.

Digwyddiad mawr fu cael trydan i'r tŷ. Golau nwy oedd gyda ni

Margery a Mervyn yng ngardd Mam a 'Nhad

cyn hynny, a lampau paraffin, wrth gwrs. Fe fyddai lamp fach y tu ôl i ddrws y ffrynt yn nhŷ Mam-gu y byddai'n ei chynnau bob nos ac ar fordydd y gwahanol stafelloedd fe fyddai lampau mwy o faint. Fe fedra i wynto tawch y paraffin o hyd. Rwy'n cofio'r nwy yn hisian yn isel gan greu rhyw awyrgylch gynnes, yn enwedig adeg y Nadolig. Bryd hynny byddem oll, fel plant, yn hongian ein sanau ar y reilen uwchlaw'r lle tân ac yna'r bore wedyn, a'r tŷ'n gwynto o arogl twrci rhost a mwg sigârs Tad-cu ac Wncwl Ifor, fe fyddai'n sanau wedi'u stwffio â ffrwythau a chnau. Ac, am ryw reswm, byddai yno hefyd siocled *Five Boys* gan gwmni Fry gyda phum llun o wyneb bachgen ar y papur yn amrywio ohono'n crio i un ohono'n gwenu fel gât ac o dan bob llun byddai gair, yn arwain o 'Desperation' ymlaen drwy 'Pacification', 'Expectation', 'Acclamation' gan orffen gyda 'Realisation'.

Weithiau, ac yn arbennig adeg y Nadolig, fe fyddai aelodau o deulu Mam o Gydweli'n galw, sef Wncwl James ac Anti Greta; nhw oedd rhieni'r cerddor Terry James. Fe fyddai Terry'n dod gyda nhw ac rwy'n ei gofio fe'n dda unwaith, yn chwech neu saith oed, yn dringo i ben stôl yn y gegin fach a chymryd arno ein harwain ni i ganu'r anthem 'Dyddiau Dyn sydd fel Glaswelltyn'. Roedd yr elfen gerddorol ynddo fe hyd yn oed bryd hynny.

Y gegin fach oedd y lle pwysicaf. Yno'r oedd y stof nwy ac ar honno y byddai Wncwl Ifor yn gwneud cyffug, neu ffydj i ni. Ac ar ddiwrnod gwneud ffydj fe fydden ni'n rhedeg lan i Siop Jenkins i nôl siwgwr a thun o driog, *Tate and Lyle Golden Syrup*, a thun o *Nestles Condensed Milk* a phinsied o fanila. Ar y tun triog fe fyddai llun o lew marw a haid o wenyn yn disgyn arno, a than y llun y geiriau, 'Out of the strong came forth sweetness'. Byddem yn cymysgu'r cwbwl a'i ferwi mewn sosban ac arllwys y gymysgedd ar hambwrdd, ac yn gwylio'r cyfan o'r soffa byddai Tad-cu yn y gornel yn tynnu ar ei bib o dan ei fwstás. Saesneg fyddai Tad-cu, Charlie Alan Rees, yn siarad â ni. Uwch ei ben fe hongianai calendr gyda sgwaryn coch yn cael ei symud yn ddyddiol o ddyddiad i ddyddiad ac fel y dynesai'r sgwaryn at ddydd Nadolig neu ddigwyddiad pwysig arall, byddai'r cyffro'n cynyddu ar yr aelwyd.

Un o'r prif ddanteithion fyddai pastai cig Mam-gu bob dydd Iau. Pastai cig eidion fyddai hwn yn gymysg â thatws sleis, a chwpan wy yn dal y crwstyn fyny. Dwi ddim wedi blasu pastai debyg byth wedyn. Uwchben y stof roedd drws yn y nenfwd yn arwain at lofft. Ac yno, o ddringo ysgol, roedd y nefoedd i ni blant. Roedd y lle fel Ogof Aladdin ac yno, yn goron ar y cyfan, roedd hen gramoffon a chorn mawr yn sownd wrthi.

Roedd yr ardd yn lle pwysig hefyd. Yno, byddai Wncwl Ifor yn tyfu tomatos ac fe fyddai Mam-gu'n cadw ffowls a diwrnod mawr fyddai hwnnw pan fyddai cywion bach yn cyrraedd. Yn aml, fe fyddai un cyw bach yn rhy wan i ddilyn y gweddill ac fe fyddai 'Nhad wedyn yn gosod y cyw claf mewn hosan a ddefnyddiai i guddio stwmpyn ei goes ac yna gadael y cyw yn yr hosan o flaen y tân. Fe wnaeth Wncwl Ifor adeiladu waliau bach o gwmpas yr ardd ac fe fydden ni blant yn mynd fyny'r hewl i'r ysbyty i nôl clinceri, ac yntau'n eu torri nhw i'w siâp i adeiladu'r welydd. Mae llawer o welydd gerddi Llanelli i'w gweld o hyd wedi eu hadeiladu â chlinceri, gwaddol y gweithfeydd haearn, wrth gwrs.

Roedd i bob gardd ei sièd lle ceid mainc saer ac offer o bob math ar gyfer gwaith coed a metel. Treftadaeth ddiwydiannol Llanelli oedd yn gyfrifol am y diddordeb hwn, siŵr o fod. Byddai crefftwyr y gwaith dur a'r gwaith tun yn mynd â'u crefft adre gyda nhw ac yn sièd Tad-cu yn hytrach nag yn yr ysgol y gwnes i ddysgu gwaith coed a metel. Fe fyddwn i'n llunio cadeiriau bach pren yno pan own i ond yn saith oed ac fe fedrwn i adnabod y gwahanol fathau o bren, ffawydden ddu, ceirios, sapidi ac yn y blaen. Gydag Wncwl Ifor y dechreuais i gymryd diddordeb mewn gwaith coed a metel. Pethe'n ymwneud â gwaith llaw oedd fy niléit i a byddwn i byth a hefyd yn chwarae â'r set Meccano. Fe wnes i unwaith hefyd adeiladu beic o hen ddarnau o sgrap.

Fe fuodd hyd yn oed fwnci yn byw yn nhŷ Mam-gu ar un adeg; Taffy oedd ei enw fe. Roedd Wncwl Ifor ac Wncwl Bert wedi bod yn India ac fe ddaeth Wncwl Ifor 'nôl â mwnci gydag e a hwnnw'n dod fel petai'n un o'r teulu, hyd yn oed yn bwyta cinio dydd Sul gyda ni. Un diwrnod fe ddihangodd Taffy lan y Lôn Gefn i dŷ Marged Isaac.

Roedd hi'n enwog am wneud cwrw sinsir, a bob nos Sadwrn fe fydden ni'r plant yn prynu potelaid ar gyfer ei yfed gyda chinio dydd Sul. Un diwrnod, dyna ble'r oedd Marged Isaac yn gwagru glo yn yr ardd gefn pan gyrhaeddodd Taffy a dwyn y rhidyll oddi arni a neidio ar ei chefn. Fe gododd e ofn marwol arni.

Doedd ganddon ni ddim ci, ond roedd yno gathod bob amser. Rwy'n cofio un, sef Blaci, yn dda. Roedd Wncwl Ifor a ninnau'n chwarae pêl-droed ar fwrdd y gegin gan ddefnyddio papur wedi'i wasgu'n belen fel pêl. Ac fe fyddai Wncwl Ifor yn hyfforddi Blaci i chwarae yn y gôl. Wrth i ni fflicio'r bêl bapur â bys canol yn erbyn blaen y bys bawd, fe fyddai Blaci'n arbed y bêl bob tro. Ac mae sôn am gath yn dod â fi at ddigwyddiad trawmatig. Mae'r cof yn medru bod yn rhywbeth dewisol iawn. Dyna i chi rownd derfynol Cwpan Lloegr yn 1938. Nid y ffaith i George Mutch sgorio'r unig gôl i Preston North End i ennill y cwpan ym munud olaf amser ychwanegol sy'n mynnu aros yn fy nghof. Yn hytrach, rwy'n cofio'r ffaith i Wncwl Ifor, ar yr union adeg, foddi chwech o gathod bach mewn hen ddrwm oel oedd yn dal dŵr ar gyfer y tomatos ym mhen draw'r ardd.

Ond rwy'n mynd ymlaen yn rhy bell nawr. Cyn i Tad-cu farw, roedd wyth ohonon ni'n byw yn rhif 38. A phan fu farw Tad-cu rwy'n cofio'n iawn gweld yr anfoneb yn cyrraedd oddi wrth yr ymgymerwr. Cost yr angladd oedd £28. Fe gawson ni wedyn, yn 1933, dŷ newydd lan y rhiw yn rhif 78, gyferbyn â'r Ysgol Ramadeg. Ond fe benderfynais i aros i fyw yn nhŷ Mam-gu, gyda hi ac Wncwl Ifor.

Yn y tŷ newydd y ganwyd Margery. Roedd dwy nyrs a oedd yn dysgu eu crefft yn Ysbyty Llanelli yn lletya gyda'r teulu yn y tŷ newydd, felly chafodd Mam ddim trafferth gyda'r enedigaeth. Er fy mod i'n byw gyda Mam-gu fe fyddwn i lan byth a hefyd yn rhif 78 ac rwy'n cofio'n iawn sŵn dillad y nyrsys, y ddwy o Bontrhydfendigaid, yn siffrwd swish-swish wrth iddyn nhw gerdded lan a lawr y staer, hynny oherwydd bod eu dillad wedi eu startsio.

Fe ddaeth diwrnod mynd i'r ysgol, ac rwy'n cofio fy niwrnod cyntaf yn Ysgol y Babanod, Stebonheath, yn dda. Rown i'n gwisgo blows felen. I ddosbarth Miss Aubrey a oedd yn aelod yn ein capel ni, Capel Seion yr es i, sef y dosbarth Cymraeg. Roedd y plant Saesneg eu hiaith, er mai Cymry oedden nhw, yn mynd i ddosbarth Miss Adams; roedd apartheid iaith yn dechrau'n gynnar yn Llanelli.

Yn y dosbarth roedd gan bawb ohonon ni slaten i ysgrifennu arni.

26

Mae gan bawb heddiw eu cyfrifiaduron. Ond un o'r atyniadau mawr oedd y band taro. Tra byddai Miss Aubrey'n chwarae'r piano fe fydden ni'n cerdded rownd y neuadd yn chwarae'n hofferynnau. Tamborîn fyddai gen i ac fe fyddai eraill yn chwarae trympedi bach syml, yn hitio drymiau neu'n taro trionglau.

Cyn hir, pan own i'n saith oed, fe symudwyd fi o ysgol yr inffants i'r ysgol gynradd, Ysgol y Parc. Doedd Ysgol Dewi Sant ddim wedi troi yn ysgol Gymraeg bryd hynny ond roedd y ddarpar brifathrawes, Olwen Williams, yn un o'n cymdogion ni a hi fyddai'n gofalu am Aelwyd yr Urdd, lle byddwn i'n mynd yn blentyn. Ond rown i hefyd yn aelod o'r Boys Brigade, fi a Iorrie Phillips, a aeth wedyn yn rheolwr banc yn ardal Merthyr Tudful. Roedd y rhaniad iaith yn amlwg yma, gyda mwyafrif aelodau'r Urdd yn aelodau yng Nghapel Als tra oedd aelodau'r Boys Brigade gan mwyaf yn aelodau yn Park Church.

Miss Bowen oedd fy athrawes gyntaf yn yr ysgol ac roedd ganddi lais uchel. Fe fyddai hi'n chwarae'r piano, a'i chwarae fe mas o diwn a hyd yn oed yn saith oed, rown i'n sylweddoli hynny. Roedd y piano'n merwino 'nghlustiau i gymaint, rown i'n falch cael symud i Safon 2 at Miss Harrhy, er ei bod hi'n ddi-Gymraeg.

Un o'r athrawon oedd Howells bach, diawl mewn croen. Fe fyddai e'n syllu arnom ni drwy ei lygaid bach miniog a'r gansen yn crynu yn ei law bob amser. Fe fyddai e'n ein dysgu ni i ysgrifennu drwy'n cael ni i gopïo brawddegau cyfan o'r bwrdd du ar ddarnau o blacards a gâi o'r siop bapurau, brawddegau Saesneg, wrth gwrs, fel 'The quick brown fox jumped over the lazy dog'.

Bryd hyn, a finne yn y pedwerydd dosbarth, fe dorrodd y pla diffiheria allan yn yr ardal. Ac fe ddalies i'r clefyd oddi wrth neb llai nag Wncwl Ifor oherwydd fy mod i'n siario gwely gydag e. Arolygwr Glanweithdra oedd e, yn gweithio allan o swyddfeydd ger gwesty'r Mansel (heddiw, tŷ bwyta Asiaidd y Veranda sydd yno). Roedd e wedi dod i gysylltiad â'r clefyd drwy ei waith, ac er nad oedd e'n dioddef ei hun, roedd e'n gludydd. Fe welodd arwyddion fod diffiheria trwynol arna i ac fe rybuddiodd fi i beidio â mynd i'r ysgol y diwrnod hwnnw. Rwy'n cofio o hyd i fi neidio lan a lawr ar y gwely a rhegi'n uchel. Fyddwn i byth yn rhegi fel arfer. A lawr ges i fynd i'r ganolfan heintiau. Fe wellais i'n iawn ond fe fu farw'r bachgen oedd yn siario desg â fi yn yr ysgol, bachgen hyfryd o'r enw Hubert Harris. Rwy'n ei weld e nawr, bachgen gwannaidd yn gwisgo blesyr werdd ac

27

rwy'n teimlo'n euog o hyd mai fi wnaeth drosglwyddo'r clefyd iddo fe.

Erbyn Dosbarth 5 fe wellodd pethe. Roedd yr athro, Mr Thomas, yn fachan hyfryd ac yn hoff o fiwsig. Bob dydd, fore a phrynhawn, fe fydden ni'n cael canu. Fe gaen ni fynd drwy'r cyfan, canu harmoni a chanu'r gwahanol leisiau – fe fyddwn i'n canu alto. A dysgu o'r Modiwletor, un Curwens, wrth gwrs. Ac roedd dysgu sol-ffa fel dysgu iaith newydd wrth i ni ddatblygu'r glust. Yn wir, nid profiad o glywed yn unig oedd hwn, roedd e fel gweld miwsig ac fe fu hyn yn gwbwl allweddol i fi. Fe fyddwn i'n dysgu'r gwahanol leisiau, tenor, bas a hyd yn oed alto, drwy'r glust, a thrwy hynny, wrth gwrs, fe fyddwn i'n dysgu harmoni.

Ar ben hyn fe gaen ni raglenni radio dros *Radio Relay* y BBC. Fe fyddai yna bamffledi pwrpasol yn ganllawiau i'r rhaglenni ond, yn anffodus, caneuon Saesneg a Seisnig eu naws oedden nhw i gyd. 'Dashing Away with the Smoothing Iron' oedd un. 'Here's a health unto His Majesty, with a fa-la-la, fa-la-la-la' wedyn. A 'Jerusalem', wrth gwrs, 'And did those feet' ac 'England's green and pleasant land'. Na, doedd Iesu Grist ddim yn troedio porfeydd Cymru fach; yr Ymerodraeth a'r Frenhiniaeth oedd yn bwysig. Rwy'n cofio yn 1935 inni dderbyn mygiau metel i nodi Jiwbilî'r Brenin Siôr VI ac yna, ddwy flynedd yn ddiweddarach, fe wnaethon ni dderbyn mygiau'r Coroni.

Ond doedd ein haelwyd ni ddim yn wahanol i unrhyw aelwyd arall. Roedd llyfrynnau'r *Chronicle* a'r *Herald*, yn llawn lluniau a hanesion o'r teulu brenhinol, yn cael croeso mawr. Ac yn yr ysgol roedd yr hen apartheid yna'n dal i wthio'i ben. Fe gaem ein rhannu yn 'Welsh Boys, go to Mr Thomas' ac 'English Boys, go to Mr Reed'. Ac, wrth gwrs, fe fyddai'r 'English Boys' yn dewis Ffrangeg yn hytrach na Chymraeg yn nes ymlaen.

Un peth oedd yn croesi'r ffiniau, wrth gwrs, oedd rygbi. Dyma gyfnod y chwedlonol Albert Jenkins. Ac fe fydden ni'n tyrru i'r Strade i'w weld e a Stan Williams ac Ifor Jones a'r arwyr eraill. Gweithwyr cyffredin oedd y rhain drwy'r wythnos ond, ar brynhawn Sadwrn, roen nhw'n troi'n arwyr chwedlonol. Rwy'n cofio am Stan un bore dydd Sadwrn cyn gêm bwysig, a llwyth o frics wedi eu gadael y tu allan i'r stesion. Roedd yn rhaid i Stan, a oedd yn gweithio i'r Cyngor, lwytho'r brics i gyd yng nghefn lorri cyn y medrai e fynd i chwarae i'r Strade.

Ond Albert oedd yr arwr. Roedd e'n dipyn o dancwr, ond wnâi hynny ddim amharu ar ei chwarae. Yn ddiweddarach, fe sefydlwyd Cymdeithas Albert Jenkins fel teyrnged iddo gan fechgyn fel Cenwyn Edwards ac Elis Owen. Fe fyddai'r gymdeithas yn cwrdd cyn gêm gwpan ac fe wnes i a'r band chwarae droeon yn eu cyfarfodydd, a dim ond un rheol oedd yn bodoli o ran aelodaeth o'r gymdeithas – dim Swansea Jacks!

Pan own i'n fachgen fe fyddai'r Strade'n orlawn. A phan fydden ni'n chwarae Abertawe byddai mwy o blismyn yno bron nag o gefnogwyr gan fod yno elyniaeth, a hynny'n aml yn troi'n ymladd. Ond roedd yno fand hefyd a chanu.

Roedd ein teulu ni'n hoff o socer hefyd ac yn mynd i Stebonheath. Fe ddaeth criw o'r Alban i ymuno â Llanelli, chwaraewyr fel McNab a McAllister ac, wrth gwrs, yn ddiweddarach fe ddaeth Jock Stein pan ddringodd Llanelli i'r Cynghrair Deheuol. Mae enwau'r timau a fyddai'n ymweld â'r Stebo ar fy nghof o hyd, Blaengwynfi a Threharris, Troedyrhiw a Thongwynlais, Ton Pentre a Phenrhiwceiber a Merthyr. Weithiau cynhelid gornestau bocsio yno. Rwy'n cofio gweld, ymhlith eraill, Ronnie James a Larry Gains yn bocsio yno.

Ond criced oedd ein gêm ni fel teulu ac fe fyddai'r tri ohonom ni frodyr yn chwarae byth a hefyd. Pan fydden ni'n mynd i Gydweli i ymweld â theulu Mam fe fyddai Terry James yn ymuno â ni i chwarae yn nhŷ Anti Liz fyny'r hewl. Yno roedd Anti Liz a'i brawd Ivor yn byw ac Anti Liz wnaeth annog Terry i chwarae'r piano.

Ar wahân i'r chwaraeon arferol fel criced a phêl-droed, fe fydden ni hefyd yn chwarae gêmau fel Cath a Chi, sef gosod ar y pafin ddarn o bren chwe modfedd o hyd ac iddo ddau ben pigfain. Wedyn fe fydden ni'n hitio un o'r pennau â ffon nes ei fod e'n tasgu i'r awyr a'r gamp wedyn fyddai hitio'r pren eto cyn iddo fe ddisgyn. Roedd yna bob math o gêmau wedi eu seilio ar washers hefyd, a hynny, wrth gwrs, yn adlewyrchu un o ddiwydiannau'r dref. Ticer wedyn, gêm debyg i hopsgotsh gyda sgwariau wedi eu marcio ar y pafin â sialc neu dalp o lo. A Mòb a *Kick-a-tin* a *Poison Ball*. Gêm boblogaidd arall oedd Cnoc-a-Whiw, sef clymu edau wrth gnociwr drws un o'r cymdogion a thynnu o bellter diogel gan ddenu'r cymydog, druan, i ateb y drws ddim ond i ganfod neb yno.

Y lôn gefn fyddai'r man chwarae arferol i ni. Fe fyddwn i a Ken

Arthur, a fyddai'n eistedd wrth fy ymyl yn yr ysgol, yn cynnau tân ac yn rhostio tato mewn hen duniau wedi'u gosod mewn tun *Squirrells Toffee*. Fe ymunodd Ken â'r fyddin ychydig o 'mlaen i ac, yn drist iawn, fe'i lladdwyd e yn Caen adeg y glanio yn 1944.

Chafodd neb blentyndod hapusach na fi, ond fel y dywed yr hen wireb, mae'n rhaid i bopeth da ddod i ben. Ac yntau'n hanner cant oed, fe benderfynodd Wncwl Ifor briodi ac fe fu'n rhaid i fi symud allan o dŷ Mam-gu. Ac am gyfnod, tawodd y miwsig a distawodd y gân.

Pennod 2

Pan briododd Wncwl Ifor ag Anti Magi ar ddiwedd y tridegau, y gorchymyn cyntaf ges i oedd y byddwn i, o hynny allan, yn byw gyda Mam a gweddill y teulu yn y tŷ newydd yn rhif 78. Dros nos, diflannodd yr hud a'r lledrith o dŷ Mam-gu; gwyddwn sut y teimlai Adda o gael ei daflu allan o Eden. Alltudiwyd y *Polyphone* gwyrthiol i'r sièd ac arhosodd y clarinét yn fud yn ei focs pren fel corff mewn arch. Fe brynodd Wncwl Ifor organ ail-law, ac un dydd Sadwrn, pan oedd Anti Magi'n siopa, fe alwais i'w weld e ac fe ges i chwarae'r organ. Ond dyna'r tro cyntaf a'r tro olaf i fi wneud hynny. Pan ddaeth Anti Magi adre fe gafodd yr organ ei alltudio i'r tŷ glo. Tŷ heb gân oedd rhif 38 bellach.

Yn cydamseru â'r troi allan o rif 38 fe ddaeth newyddion da. Fe brofodd canlyniadau arholiad yr 11-Plus i mi fod yn llwyddiannus. Roedd e'n arferiad gan 'Nhad bryd hynny i fynd â ni'r plant ar deithiau dirgel gyda'r nos ac fe wnaethon ni hynny ar y noson y cyrhaeddodd y canlyniadau. Roedden ni wedi galw yn siop bapure Mrs Williams yn Heol Als a gweld y canlyniadau yn y papur lleol a rhaid wedyn oedd mynd am drip.

Mynd ar un o'r gwahanol fysys fydden ni ar y teithiau hyn o ymyl Neuadd y Dre, bws Sage neu Pudner neu South Wales Transport neu James. Fe fyddai bws James yn mynd i Aberystwyth hefyd a châi ei adnabod fel y *Radio Bus* am y rheswm syml fod radio arno fe, a honno'n chwarae gwahanol raglenni. Doedd neb yn gwybod rhag blaen i ble fyddai'r teithiau hyn yn mynd, wrth gwrs. O'r tu allan i Neuadd y Dre fe fydden nhw'n gadael am Lanymddyfri, Llangadog, y Mynydd Du neu Dro'r Gwcw gan alw am tships ar y ffordd adre. Ar noson rhyddhau canlyniadau'r arholiad rwy'n cofio mai fi enillodd y raffl a gynhaliwyd ymhlith y teithwyr. Y wobr oedd eog cyfan ac rwy hyd yn oed yn cofio'r rhif lwcus, sef rhif pedwar.

Doedd dim prinder ffrindiau pan oeddwn i'n blentyn. Yn un peth roedd gen i berthnasau a fyddai'n galw bob dydd Sul. Roedd plant gan frodyr Mam ac un o'm ffrindiau agos oedd Aneira, merch Wncwl Johnny. Denys wedyn, mab Wncwl Bert. Y tu allan i'r teulu fe fyddai David Griffiths, oedd yn byw lan yr hewl, Ieuan Thomas wedyn a Hugh Davies a'r brodyr Charles ac fe fydden ni'n chwarae criced yn

y lôn gefn. Roedd David Griffiths hyd yn oed bryd hynny yn dipyn o
entrepreneur; roedd e'n cymysgu rhyw stwff a alwai'n *Bruise Oil*, a
oedd i fod gwella'r cleisiau fyddai'n digwydd wrth i ni chwarae ac fe'i
gwerthai am geiniog y botel.

Fe fydden ni weithiau'n codi pebyll yn y cefn lle bydden ni'n
cynnal gwleddoedd gyda'r nos. Ni oedd yr 'Hospital Gang', neu'r
'Marble Hallers'. Weithiau fe fyddai gang arall o'r dociau'n dod lan i
ymladd â ni; rown i'n ofni'n arbennig Donny Lewis, arweinydd y
gang arall. Cael ein cyflyru oedden ni gan ffilmiau Cowbois ac
Indiaid; ni oedd y Cowbois a gang y dociau oedd yr Indiaid. Roedd
Donny Lewis hyd yn oed yn gwisgo fel Indiad Coch ac rwy'n cofio
mynd allan i'r ardd un bore a chanfod saeth yn sticio allan o wal y sièd
a darn o bapur yn sownd wrth flaen y saeth. Arno roedd y geiriau,
'We have taken your sticks!'

Pan gâi'r simnai ei glanhau, fe fydden ni'n llenwi hen duniau â
huddygl a'u taflu nhw at ein gilydd fel bomiau. Wedyn fe fyddai
angen i ni gael ein sgwrio, a chael ein dillad wedi'u golchi. Yn aml fe
fyddai Edna, chwaer Aneira, yn helpu Mam i olchi. Roedd Mam yn
hyddysg iawn mewn darllen ffortiwn mewn cwpanau te a byddai
Edna'n ei helpu gyda hynny hefyd.

Fe wnaeth pasio'r 11-Plus olygu y byddwn i'n mynd o Ysgol y
Parc i Ysgol Ramadeg Llanelli. Fe gychwynnais yn Nosbarth 2R. Yno
doedd dim cymaint o gerddoriaeth â'r hyn a geid yn Ysgol y Parc lle
byddai miwsig bob dydd ond, serch hynny, roedd gen i gyfle nawr i
astudio Cerddoriaeth fel pwnc swyddogol. Roedd yna gerddorfa, a'r
asembli nawr yn rhan anhepgorol o gychwyn y gweithgareddau bob
bore. Yno roedd bachan o'r enw Ronnie Cass yn chwarae'r piano
wrth i ni fynd allan i'n gwersi, yn chwarae pethe poblogaidd fel
'Tuxedo Junction', ac fe fyddwn i'n hongian o gwmpas i wrando
arno. Golygai hyn y byddwn i'n hwyr byth a hefyd yn cyrraedd y
dosbarth ond, chwarae teg, byddai Hamilton Davies, neu Hammy, a
oedd yng ngofal y cofrestr, yn gofalu fy marcio i'n bresennol bob
amser.

Roedd Hammy a finne wedi bod yn ffrindiau mawr pan oedden
ni'n fychan ond fe wnaethon ni gweryla wedi iddo fe gicio fy mhêl
ledr newydd fyny i'r awyr a honno'n disgyn ar un o bigau rheiliau'r
parc ac yn ffrwydro. Roedd hi'n bêl arbennig, un *T-Panel* wedi ei
phrynu yn y siop chwaraeon yn Stryd y Farced am chwe swllt a chwe

cheiniog. Roedd ganddon ni yn Marble Hall gronfa bêl-droed swyddogol ac fe fyddwn i'n rhedeg negeseuon i Miss Samuel y siop ar nos Wener ac ar Sadyrnau, gan roi'r sylltau a gawn yn dâl i'r gronfa. Fodd bynnag, ni pharodd yr elyniaeth rhwng Hammy a finne yn hir ac fe ddaeth cariad y ddau ohonon ni at jazz â ni 'nôl at ein gilydd.

Erbyn hyn rown i a Mervyn, yn ogystal â Terry James, fy nghefnder, yn dechrau prynu recordiau rhad *Eclipse* yn *Woolworths*. Chwe cheiniog yr un oedden nhw a'm ffefrynnau i oedd 'Old Faithful' gan Gene Autrey, 'Play To Me, Gypsy' gan Henry Hall, 'Gilbert the Filbert' gan Basil Hallam a 'The Wheel of the Waggon is Broken' gan The Sons of the Pioneers a Roy Rogers yn canu o dan yr enw Leonard Slye. Ffefryn Terry oedd 'Waggon Wheels' gan Paul Whiteman.

Yn ystod fy ail flwyddyn yn yr Ysgol Ramadeg fe dorrodd y rhyfel, a thrist oedd clywed y prifathro, T V Shaw, yn adrodd enwau cyn-ddisgyblion a laddwyd neu a oedd ar goll; aelodau o griw awyren, hwyrach, wedi eu saethu lawr dros yr Almaen ac yn garcharorion. Bechgyn ifanc i gyd a byddai rhywun neu rywrai'n cael eu henwi bron bob dydd. Roedd ganddon ni hyd yn oed awyren *de Havilland Rapide* pum sedd, sef DC2, ar dir yr ysgol ac roedd cangen o'r ATC, sef corff hyfforddi'r Awyrlu, yno ac yn cael profiad o ddatgymalu ac ailadeiladu'r awyren. Roedd bywyd ysgol bob dydd yn troi o gwmpas y rhyfel ond er bod cyfle yno i gadlanciau'r Fyddin a'r Awyrlu doedd yno ddim cangen o'r Llynges, er bod yna un yn y dref.

Roedden ni wedi cael rhyw ragflas o ddyfodiad awyrennau ychydig cyn y rhyfel pan ddaeth Syr Alan Cobham draw i Gorseinon gydag awyren ac *autogiro*, rhagflaenydd yr hofrenydd. Fe fyddai Cobham yn darparu tripiau hedfan, ac fe fyddai Wncwl Ifor ac Wncwl Bert yn mynd draw yno i weld y sioe. Roedd hi'n antur fawr iddyn nhw.

Rwy'n cofio'n dda yr ifaciwîs yn cyrraedd. Fe gafodd dau ohonyn nhw gartref dros dro gydag Wncwl Ifor ac Anti Magi. Eu henwau nhw oedd Terry Joys a Sylvia Day o Balham yn Llunden. Weithiau, pan fyddai'r athro Saesneg, Mr Thomas – neu Dreamy i ni – yn dysgu rhai o ferched Balham fe fydden ni, yn y dosbarth nesaf, yn gwthio negeseuon iddyn nhw ar ddarnau o bapur drwy dyllau yn y pared.

Y newid mwyaf a achoswyd i Lanelli gan y rhyfel oedd i'r golau ddiffodd, yn ffigurol ac yn llythrennol. Lle gynt y medrwn weld y dref yn sbloet o oleuni o'r ardd gefn roedd yno bellach dywyllwch. Fe ddiffoddodd goleuadau'r siopau a'r sinemâu, y goleuadau neon a goleuadau'r stryd, ac roedd yr argoelion a'r gobeithion hefyd yn dywyll. Fel y dywedodd Syr Edward Grey ar doriad y Rhyfel Mawr, 'Mae'r goleuadau'n diffodd dros Ewrop gyfan, ac ni wnawn eu gweld ynghyn eto yn ystod ein bywyd ni.'

Newid mawr arall oedd bod y gweithiau nawr o dan amodau argyfwng yn cynhyrchu nwyddau'n ymwneud â'r rhyfel, gyda llawer iawn o fenywod yn ymuno â'r dynion yn y ffatrïoedd gan fod angen bwledi a thaflegrau. Nawr hefyd roedd llai o fwyd, wrth gwrs, gyda phob teulu'n gorfod glynu at y llyfrau dogni. Tra bydden ni o'r blaen yn medru prynu pwys o fenyn yn y farced, roedden ni nawr yn gyfyngedig i ddwy owns, hwyrach. Ac fe fyddai prynu rhywbeth moethus fel eog mewn tun yn mynd â gwerth wythnos o gwpons, bron iawn. A dyma pryd yr ymddangosodd margarîn ar raddfa eang; rown i'n ei gasáu, ond doedd dim dewis.

Ar yr ochr gadarnhaol roedd Mervyn a finne bellach yn derbyn gwersi piano. Arwr mawr i ni oedd Teddy Wilson a oedd wedi chwarae gyda Louis Armstrong, Benny Goodman a Billie Holiday a ninnau wedi ei glywed e ar y radio. Dyma pryd y gwnes i glywed cerddoriaeth swing am y tro cyntaf, tonau fel 'Southern Fried', 'Missouri Scrambler' a 'Biting the Dust'.

Erbyn hyn roedd bandiau dawns ag enwau crand fel y Denza Dance Orchestra a'r Ritz Orchestra, Yr Ambassadors a'r Mayfair Dance Orchestra wedi eu ffurfio ac yn ymddangos yn lleol. Un o'r cerddorion amlwg yn eu plith oedd Hubert Hughes ar y bas dwbwl, a fu'n ddiweddarach yn aelod o un o'm bandiau i. Cyn-aelodau oedd llawer o'r rhain o Fand Tref Llanelli, Band Arian Llanelli neu Gerddorfa Elfed Marks. Roedd Mervyn a finne'n rhy ifanc i fynd mewn ar y pryd a gwrando ar y tu fas y bydden ni.

Yn yr Odeon, fe fyddai sioe a elwid yn *Henry Hall's Guest Night* yn cael ei chynnal ac un noson yn 1940 roedd yn dod yn fyw ar y radio o Lanelli ac rwy'n dal i gofio Jack Bonser yn chwarae'r clarinét, Freddy 'Curley' Mann ar y trymped a Jack Plant a Betty Driver yn canu. Hi, gyda llaw, sy'n chwarae rhan Betty Turpin ar *Coronation Street*. A'r noson honno fe wnaethon nhw berfformio un o gyfansoddiadau Harry Parry, 'Parry Opus', a'r dôn 'Excentric'.

Un o leisiau'r rhyfel, wrth gwrs, oedd Vera Lynn, y *Forces*

34

Sweetheart gyda'i chaneuon gobeithiol fel 'We'll Meet Again' a 'The White Cliffs of Dover'. Un arall oedd Anne Shelton, y *Forces Favourite*, gydag 'I'll be Seeing You' ac 'A Nightinglale Sang in Berkley Square'; fe fu hi'n canu gyda Geraldo, Bing Crosby a Glenn Miller. Cân boblogaidd arall oedd 'Keep the Home Fires Burning' a gyfansoddwyd gan Ivor Novello ar gyfer y Rhyfel Mawr, cân a atgyfodwyd ar gyfer yr Ail Ryfel Byd. Fe wnaeth Gracie Fields ei rhan hefyd wrth iddi godi calonnau pobol mewn cyfnod mor dywyll. Ond, yn taflu ei gysgod dros y miwsig, roedd llais gwawdlyd Lord Haw Haw a'i 'This is Germany calling, Germany calling'. Roedd e'n hela iasau lawr fy nghefn.

Pan gychwynnodd y rhyfel, fe gafodd pawb eu lloches bersonol eu hunain, sef yr *Anderson Shelter*, i'w godi yn yr ardd, neu'n hytrach i'w gladdu yno. Adeilad o haearn rhychiog oedd e gyda tho hanner cylch, ac fe fydden ni'n cadw gwahanol offer ynddo fe rhag ofn y byddai angen eu defnyddio dros nos. Wrth dorri'r twll ar gyfer yr un gawson ni rwy'n cofio i ddarnau o lestri ddod i'r golwg, sef darnau o Grochenwaith Llanelli, sy'n brin iawn heddiw. Pan dorrodd y rhyfel hefyd fe aeth 'Nhad ati i'n dysgu ni'r plant sut oedd defnyddio bidog gan ei fod e'n dal i gofio'i amser gyda'r Gwarchodlu. Fe ddefnyddiodd reilen o'r ffender a'i gwthio dro ar ôl tro i mewn i ddrws y cefen. Bellach, mae'r rhod wedi troi cylch cyfan gan fod ŵyr i fi, Rhodri, wedi ymuno â'r Gwarchodlu Cymreig ac wedi bod allan yn Afghanistan.

Fe ddaeth y rhyfel yn agos iawn atom yn Llanelli oherwydd y cyrchoedd awyr gan y Luftwaffe ar Abertawe. Yno roedd porthladd mawr mwyaf gorllewinol y Deyrnas gyda'i iardiau rheilffordd anferth. Targed arall oedd Castell Nedd, canolfan ddosbarthu olew bwysig iawn. Fe barhaodd un cyrch ar Abertawe ym mis Chwefror 1941 am dridiau cyfan ac erbyn 1943 roedd y dref wedi dioddef 44 o gyrchoedd bomio. Pan fyddai'r ymosodiadau'n digwydd fe fyddai Mam yn mynd â ni lan i dop yr hewl ger yr ysbyty i weld yr awyr yn goch uwchlaw'r dref wedi i'r awyrennau *Heinkel* ollwng eu llwythi bomiau. Y bomiau tân fyddai'n dod gyntaf i oleuo'r dociau fel canhwyllau ar gacen ben blwydd ac wedyn fe ollyngid y bomiau ffrwydron.

Fe fyddwn i'n mynd i Abertawe yn aml, mynd i'r Empire ar ddydd Sadwrn lle byddai bandiau fel Joe Loss yn ymddangos, a Maurice

Winnick wedyn yn ymddangos mewn rhaglen a elwid *The Dorchester Follies* ac yntau'n disgrifio'i fand fel un oedd yn creu'r miwsig melysaf yr ochr hon i'r nefoedd. Fe fyddwn i'n mynd gyda Hamilton Davies, a'r ddau ohonon ni'n dysgu enwau pob cerddor a ymddangosai ar y llwyfan. Byddai llanciau eraill yn fwy tebygol o ddysgu enwau chwaraewyr pêl-droed.

Fe ddisgynnodd rhai bomiau ar Lanelli, yn arbennig yn Noc y Gogledd lle'r oedd petrol yn cael ei storio ac fe ddisgynnodd taflegryn drwy biano un bachan yn ei stafell ffrynt. Ym Mhen-bre roedd ffatri ffrwydron, ac yno fe fomiwyd y cantîn gan awyren Heinkel, a hynny ar adeg cinio. Roedd hi wedi bod yn hedfan o gwmpas drwy'r bore, a grwnian ei hinjan hi'n codi ofn ar bawb. Fe laddwyd nifer yno. Rwy'n cofio gweld y diwrnod hwnnw, ar fy ffordd adre o'r ysgol, lorri'n cludo pedwar ar ddeg o gleifion i'r ysbyty.

Roedd Alwyn, fy mrawd hynaf, yn gweithio ym Mryste erbyn hyn, dinas arall a ddioddefodd lawer o'r bomio, a hynny'n ein gofidio ni'n fawr o ran ei ddiogelwch. Roedd e'n gweithio mewn ffatri lle cynhyrchid geirosgopau ar gyfer awyrennau a bu wedyn yn gwneud gwaith tebyg yn Stroud cyn gwirfoddoli i ymuno â'r Awyrlu. Roedd cefnder i ni, Arthur, wedi ymuno hefyd; fe gafodd e, druan, ei chwythu'n ddarnau yn ei awyren. Fe gafodd Alwyn hefyd brofiadau dirdynnol. Pan fyddai'r awyrennau bomio Lancaster yn dychwelyd, byddai yna golledion yn aml a'r saethwr ôl, y *Tail-end Charlie*, fyddai'n dioddef amlaf. Ar gyfartaledd, saith diwrnod fyddai eithaf y bechgyn hyn cyn iddynt gael eu niweidio'n ddrwg neu eu lladd. Yn aml byddai Alwyn yn gorfod golchi'r gwaed o'r caban ôl wedi i gorff y saethwr, druan, gael ei gludo allan. Fel rhan o'i yrfa fe fu allan yn Lahore yn India am dair blynedd lle cafodd ddihangfa ffodus un noson. Roedd e'n dychwelyd i'r gwersyll ar ôl bod ar ddyletswydd ar noson dywyll iawn pan oleuwyd y ffordd o'i flaen gan olau car yn gyrru o ffreutur y swyddogion. Ac yno, yn y golau, sylwodd Alwyn fod cobra anferth o'i flaen ar ymyl y ffordd ac ar fin taro.

Rown i'n eiddigeddus iawn o Alwyn pan oedd e yn Stroud. Ar nosau Sul fe fyddai cyngherddau mawr yno ac mewn mannau cyfagos fel Caerloyw pan fyddai bandiau Oscar Rabin a Joe Loss yn chwarae. Rwy'n cofio amdano'n anfon llofnod Joe Loss i fi wedi ei ysgrifennu ar gefn bocs sigaréts.

Un o'r mannau y byddwn i'n ei fynychu'n rheolaidd bryd hynny oedd y YMCA, lle byddwn i'n chwarae snwcer a thennis bwrdd. Ond am hanner awr wedi chwech bob nos Iau byddai popeth yn cael llonydd gan y byddai radio'r BBC yn darlledu'r *Rhythm Club* gyda Harry Parry'n cyflwyno. Clarinetydd o Gaellepa, Lôn Popty, Bangor, oedd Harry Parry ac fe ddaeth e'n arwr i fi. Yn wir, ef oedd fy arwr mwyaf. Yn wahanol i glarinetwyr y bandiau dawns arferol, fe fyddai Harry'n chwarae swing ac ar ei raglen fe fyddai hefyd yn cyflwyno hanes jazz.

Dyma pryd y gwnes i fynd ati i chwilio am rywun a allai fy nysgu i chwarae'r clarinét o ddifrif, hen glarinét Wncwl Ifor, wrth gwrs. Fe ffeindiais i gyn-filwr, Jack Price, oedd wedi ei gludo adre wedi iddo gael ei anafu yng ngwrthgiliad Dunkirk; roedd e'n chwarae gydag un o'r bandiau lleol. Fe gychwynnais i chwarae drwy arddull Albert ond yna fe wnes i droi at arddull Boehme.

Harry Parry wnaeth lunio fy mhenderfyniad i chwarae jazz yn hytrach na miwsig dawns wrth i mi deimlo fod miwsig dawns yn rhy sobr a ffurfiol. Roedd jazz yn wahanol. Roedd e'n gyffrous. A chan mai fi, ar y dechre, oedd yr unig un oedd yn chwarae jazz yn Llanelli, rwy'n credu hefyd fod chwarae jazz yn gwneud i fi edrych fel rebel. Wrth gwrs, mewn dawnsfeydd ffurfiol fe fyddwn i'n fodlon chwarae miwsig dawns, gan alw'r band yn Wyn Lodwick Orchestra. Wedi'r cyfan, jobyn o waith oedd e.

Fel Alwyn fy mrawd o 'mlaen i, fe ddechreuais i fynychu siop gerdd Nields a dyna pryd y gwnes i ddechrau gwario fy arian ar recordiau Sidney Bechet ac, wrth gwrs, Harry Parry, y naill ar *Brunswick Black Label* a'r llall ar *Parlophone Blue Label*. Fe fyddwn i'n mynd adre wedyn i'w chwarae ar gramoffon 'Nhad ond roedd 'Nhad yn gweithio'r nos, o wyth y nos hyd wyth y bore ac felly fedrwn i ddim chwarae'r piano na'r gramoffon tra byddai e'n cysgu. A dyna lle byddwn i, a record newydd yn llosgi yn fy llaw yn ysu am gael ei chwarae. Yr unig ateb oedd gosod y record ar y bwrdd tro a defnyddio gewyn y bys cynta yn lle nodwydd. Fe wnes i dyfu'r gewin yn hir ar gyfer hynny ac fe fedrwn i drwy hynny glywed y sain ond heb iddo fod yn rhy uchel.

Fe fyddai Alwyn weithiau'n chwarae'r piano ar y slei pan fyddai 'Nhad yn cysgu gan chwarae'n isel yn y tywyllwch gyda dim ond lamp beic yn goleuo'r piano. Un nos Calan, tua 1941, fe glywais i Joe Loss yn chwarae 'In the Mood' dros y radio am y tro cyntaf, tôn a fabwysiadwyd ganddo fel ei arwyddgan, a rhaid oedd hymian y dôn wrth Alwyn a gofyn iddo ei chwarae hi ar unwaith.

Erbyn hyn rown i'n derbyn y *Melody Maker* bob wythnos, a thalu tair ceiniog amdano ond oherwydd y rhyfel a'r prinder papur, dim ond tua dwy neu dair tudalen oedd e. Roedd e'n rhestru ble oedd y bandiau'n chwarae, o Glasgow lawr i Abertawe ond y peth cynta fyddwn i'n edrych amdano oedd ble byddai Harry Parry'n chwarae.

Oherwydd y rhyfel a'r perygl o fomiau, roedd pob cartref cyfagos i'r ysgol yn cael ei ddynodi fel lloches i ddau neu dri o ddisgyblion a phryd bynnag y gallai perygl godi, hyd yn oed ar ganol arholiad, byddai gofyn symud y disgyblion allan ar fyrder a'u dosbarthu rhwng y gwahanol gartrefi. Un o'r ddau ddisgybl a ddynodwyd ar gyfer ein tŷ ni oedd Glyn Howells a oedd, er ei fod e'n gloff ac yn gwisgo calipers, yn bianydd bwgi-wgi gwych iawn. Ar ôl capel ar nos Sul fe fyddai'r ddau ohonon ni'n mynd draw i Gaffi Sartori i yfed coffi ewynnog, siario sigarét slei a chwarae'r piano yn y stafell gefn.

A dyma pryd y gwnes i ymddangos am y tro cyntaf gyda band lleol, Paul Vincent and his Rhythm Boys. Ei enw iawn oedd Vincent Arthur ond doedd hynny ddim yn enw digon egsotig neu theatraidd. Roedd y llythyren 'V' i'w gweld yn amlwg ar bob stand ar y llwyfan, a honno'n golygu *Victory* yn ogystal â Vincent. Hwn, i bob pwrpas, oedd band jazz cyntaf Llanelli gyda'r mynychwyr yn dod i wrando yn ogystal ag i ddawnsio. Disgyblion ysgol oedden ni i gyd: Glyn ar y piano, Idris Williams ar y trombôn, fi ar y clarinét, Denzil Adams ar y ffidil a Vincent ar y drymiau neu'r ffidil. Fe fydden ni'n chwarae mewn neuaddau lleol.

Yn yr Oddfellows ger y Thomas Arms y gwnaethon ni ymddangos cyntaf, yna yn St Barnabus, yn St Peter's a mannau eraill, ac yna yn yr Astoria. Perchenogion y lle oedd y gantores Dorothy Squires o Bontyberem a'i phartner, Billy Reid, a oedd yn gerddor ac yn gyfansoddwr llwyddiannus iawn. Fe gyrhaeddodd tair o'i ganeuon e rif un yn y siartiau yn America, sef 'Tree in the Meadow' a ganwyd gan Margaret Whiting, fersiwn Eddie Fisher o 'I'm Walking Behind You' a 'The Gypsy' gan yr Ink Spots. Yn ddiweddarach fe briododd Dorothy â Roger Moore.

Cyngerdd blynyddol Gwener y Groglith 1941 ar gyfer y gweithwyr rheilffordd oedd yr achlysur ar gyfer ein sesiwn ni. Hwn oedd y tro cyntaf i fi gael sefyll yn y golau glas ar lwyfan ac rwy'n cofio'n dda cymryd y solo yn 'The Woodchoppers Ball', clasur Woody Herman. Achlysur arall pan gawson ni ymddangos oedd ar y rhaglen *Workers' Playtime* amser cinio yng nghantîn ffatri geir *Morris Motors* yn Felinfoel yn 1942. A finne nawr yn tynnu tuag at ddiwedd fy nghyfnod yn yr ysgol, roedd fy mywyd i'n troi o gwmpas jazz a'r rhyfel gyda jazz yn llifo i bobman drwy Ewrop erbyn hyn. Yn Ffrainc, er enghraifft, roedd miwsig Django Reinhardt a Steffan Grappelli yn boblogaidd ac yn lledaenu drwy'r byd. Ond roedd fy llyfrau sgrap erbyn hyn, yn ogystal â chynnwys lluniau a hanesion am arwyr jazz, yn cynnwys hefyd luniau a hanesion brwydrau rhwng awyrennau Prydain a'r *Luftwaffe*, gyda *Spitfires* ac awyrennau *ME 109* yn ymryson yn ffyrnig yn yr awyr uwchben.

Yr agosaf i'r rhyfel ddod aton ni fel teulu oedd y diwrnod hwnnw ym mis Mai 1941 pan oedd Mervyn a finne'n chwarae criced ar y Cae Fflat ar Ben y Fan. Roedd criced yn golygu llawer i ni ac fe aeth Alwyn ymlaen i chwarae yng Nghynghrair Sir Gaerhirfryn a Mervyn yn dod yn gapten tîm Llanelli. Ond y digwyddiad mwyaf cofiadwy i fi mewn criced oedd y diwrnod hwnnw ym mis Awst 1968 pan wnes i fynd i Faes San Helen yn Abertawe i weld Morgannwg yn chwarae India'r Gorllewin. Rown i'n cerdded i mewn drwy'r gât pan hedfanodd pêl griced dros fy mhen i'r stryd. Do, fe gyrhaeddais i wrth i Gary Sobers hitio'i chwech cyntaf o chwech mewn un belawd o fowlio Malcolm Nash. Fe fuodd e jyst â bwrw 'mhen i bant. Ond er fy hoffter mawr i o'r gêm, mewn hoci y gwnes i ddisgleirio fwyaf ac fe fues i'n gapten ar dîm hoci Llanelli. Fe etifeddodd Neil y mab y ddawn mewn chwaraeon hefyd gan fod yn gapten tîm criced y fwrdeistref a chapten tîm rygbi Crwydriaid Llanelli.

Y diwrnod arbennig hwn ar Ben y Fan fe glywodd Mervyn a finne sŵn awyren yn dynesu ac fe wyddem ni wrth sŵn cloff yr injan yn pesychu fod rhywbeth o'i le. Yna dyma ni'n gweld *Hawker Hurricane* yn hedfan yn isel tuag aton ni; roedd hi fel petai hi'n dychwelyd o dde Lloegr ac yn hedfan dros Abertawe am Ben-bre ac yn amlwg mewn trafferthion mawr. Roedd Mervyn yn bowlio, a'r awyren yn cyfeirio'n syth atom a sylwais fod oel du o'r awyren yn disgyn ar y wiced o 'mlaen i. Yn amlwg, roedd y peilot yn bwriadu glanio ac roedd tyllau bwledi'r gelyn i'w gweld yn glir yng nghorff yr awyren. Fe lwyddodd o drwch y blewyn i'n hosgoi ni ac anelu am gae criced y Strade. Yno, fe hitiodd y weiers trydan cyn llwyddo i lanio yn bellach ymlaen yn y

Waclaw Wilczewski, peilot yr awyren Hurricane a achubodd fywyd Mervyn a finne ar Ben y Fan

Pwll lle mae'r parc criced heddiw. Yno, oherwydd diffyg tir, fe hitiodd e'r ddaear yn fyr, yn fwriadol ac yn galed yng nghefn Isfryn a Chapel Bethlehem. Fe allai fod wedi hitio Mervyn a finne ac achub ei fywyd ei hunan ar Ben y Fan, ond dewisodd beryglu ei fywyd ei hun drwy ein harbed ni a mentro ymlaen i fannau peryclach.

Pan gyrhaeddodd Warden Cyrchoedd Awyr y fan, roedd y peilot yn cicio'i awyren mewn tymer a rhwystredigaeth a chan ei fod e'n bytheirio mewn iaith dramor, credwyd ar y dechrau mai Almaenwr oedd e. Flwyddyn yn ddiweddarach fe saethwyd y peilot ifanc i lawr yn ei Spitfire gan awyren Almaenaidd ac fe'i lladdwyd. Flynyddoedd yn ddiweddarach fe lwyddodd hanesydd lleol i ganfod enw'r peilot, sef Waclaw Wilczewski, 20 oed, o Sgwadron 316 Pwyl, a oedd yn ganolog gyda'r Awyrlu yn Wessex.

Yna, fis Awst y flwyddyn wedyn, bu digwyddiad pwysig iawn yn fy agwedd i at jazz. Dyna pryd y cyrhaeddodd criw mawr o filwyr Americanaidd Lanelli. Ar ôl chwarae mig â llongau tanfor yr Almaenwyr fe lwyddodd y llong *Uganda*, a oedd yn eu cludo, ddocio yn Abertawe. Ymlaen y daethon nhw i Lanelli lle rhoddwyd lletty i'r milwyr gwyn yn y Drill Hall yn Murray Street a'r milwyr du mewn cytiau yn y Ffwrnais.

Pwrpas dod i Lanelli, a hefyd i fannau eraill ledled gwledydd Prydain, oedd paratoi at y glaniadau yn Normandy. Fe ddigwyddodd hyn ar yr union adeg pan own i'n dechrau chwarae mewn band ac yn mynychu nosweithiau cerddorol. Rwy'n cofio gweld llawer o'r Americanwyr yn Neuadd Burton yng Nghastell Nedd yn un o gyngherddau Harry Parry ac rwy'n cofio Harry'n cyhoeddi o'r llwyfan orchymyn yr Heddlu Milwrol: 'Will all the coloured troops leave now at ten o'clock. The white troops should remain for half an hour.'

Roedd yna broblemau mawr yn medru codi rhwng y milwyr gwynion a'r duon. Rwy'n cofio milwr du yn cael ei daflu allan o lorri y tu allan i Neuadd y Dref yn Llanelli wedi iddo gael ei drywanu gan filwyr gwynion. Wyddwn i ddim byd bryd hynny am apartheid yn America. Yr hyn oedd America i fi oedd America'r ffilmiau, lle'r oedd pawb yn gytûn ond, mewn mannau roedd hi'n waeth yno nag yn Ne Affrica. Fe welais i'r peth yn gliriach wrth fynd i'r ffair ger Capel Moriah. Gyda llaw, roedd miwsig Harry Parry mor boblogaidd erbyn hynny fel ei fod e'n cael ei chwarae ar recordiau dros uchelseinydd yn y ffair. Ond synnwyd fi o weld y milwyr gwynion yn cael mynd i'r ffair un noson a'r duon ar y noson wedyn. Doedden nhw ddim yn cael cymysgu. Roedden nhw fel Siôn a Siân, byth yn cael bod allan gyda'i gilydd.

Ond roedd dyfodiad yr Americanwyr fel agor drws arall i fi. Roedd llawer ohonyn nhw'n gerddorion a byddwn i'n siarad â nhw am Count Basie a Cab Calloway. Rwy'n cofio dau ohonyn nhw wedi dod â'u hofferynnau draw gyda nhw ac yn perfformio gyda ni mewn stafell uwchben siop Neilds un prynhawn dydd Sul. Yn wir, fe fyddai rhai yn ymuno â ni pan fydden ni'n ymarfer, a ninnau'n ymarfer gyda nhw. Yn drist iawn, lladdwyd y ddau hynny a ddaeth i'r siop ar Draeth Sword yn Normandy.

Ar ôl i ni ddod i'w nabod nhw fe wnaethon nhw'n gwahodd ni i chwarae mewn dawns yng Nghaerfyrddin, lle mae Ysbyty Glangwili heddiw. Casgliad o gytiau *Nissen* oedd yno bryd hynny, ac yno roedd ysbyty'r Americanwyr. Roedd ganddyn nhw ganolfan drafnidiaeth ger Capel Caersalem. Ar nos Sul roedden ni i fod i chwarae ac, ar y prynhawn hwnnw, wedi i ni gyrraedd adre o'r ysgol Sul, fe arhosodd lori fawr chwe olwyn y tu allan i'r tŷ a dau Americanwr du ynddi; y bechgyn duon fyddai'n gyrru bob amser. Beth bynnag, dyma gnoc ar y drws a Mam yn ateb. A dyma glywed llais dwfn Americanaidd yn gofyn: 'Does Wyn Lodwick live here?' Fe wahoddodd Mam nhw mewn a gofyn iddyn nhw, fel y byddai hi'n gofyn i bawb, a hoffen nhw ddishgled o de. Fe dderbynion nhw'n hapus a chwarae teg i Mam, er nad oedd hi wedi siarad â phobl dduon o'r blaen, roedd hi'n eu trin nhw fel y byddai hi'n trin pawb arall fyddai'n galw. I Mam, druan, dim ond glo oedd yn ddu.

Fe gyrhaeddodd gweddill y band o un i un. A lawr â ni gyda'r bechgyn duon yn y lorri i Langwili lle gwnaethon ni berfformio'n rhan ni o'r noson. Roedd hi'n sioc iddyn nhw ein clywed ni'n canu caneuon a oedd yn boblogaidd ganddyn nhw 'nôl yn America ac o'r herwydd roedden nhw'n teimlo fel petaen nhw adre. Darnau fel 'The Woodchoppers Ball' a 'Doggin Around' roedden ni'n eu chwarae ac ar 'Doggin Around', a recordiwyd gan Count Basie, fe fyddai bachgen dall, Elwyn Davies, yn chwarae solo ar y *tenor sax*. Wedi i ni orffen fe gawson ni fwyd gyda'r Americanwyr, a hynny ar hambwrdd. Roedd popeth yn dod ar hambwrdd, a'r bwyd i gyd mewn pecynnau unigol; roedd y cig mewn un, y tatw mewn un arall a'r pwdin mewn un arall eto.

Un nos Sul yn y capel fe fu digwyddiad rhyfedd iawn pan ddaeth dau Americanwr du i mewn i addoli gyda ni. Mae'n rhaid eu bod wedi cael eu denu gan yr arwydd ar y wal, *Zion Baptist Chapel*, a Bedyddwyr oedd llawer o'r bechgyn du. Fe wnaethon nhw aros drwy'r gwasanaeth, er ei fod e'n gyfan gwbl Gymraeg. Yna dyma sacrament y cymun yn cael ei weinyddu a'r ddau filwr du yn sefyll i dderbyn y bara a'r gwin, ac rwy'n cofio un o'r diaconiaid, Mr Walters, yn y sêt fawr yn sibrwd wrth Jubilee Young, 'Beth ydw i fod i'w wneud?' A do, fe gawson nhw'u bara a'u gwin fel pawb arall.

Fe adawodd y milwyr i gyd eu gwahanol ganolfannau ledled Prydain dros nos i fod yn rhan o'r glaniadau yn Normandy ar 6 Mehefin 1944, fel rhan o *Operation Overlord* ar y tir ac *Operation Neptune* ar y môr, ac fe laddwyd cyfanswm o 1,465 ohonyn nhw ar y traethau, o Draeth Utah i Draeth Omaha. Cafodd 5,138 naill ai eu hanafu, eu colli neu eu carcharu. Yn rhyfedd iawn, fe fu'r drymiwr sydd gen i nawr, Arthur Perry, yn cludo rhai o'r bechgyn hyn ar draws y sianel mewn llong ac iddi waelod gwastad.

Erbyn hyn, ym mis Gorffennaf 1943, rown i wedi gadael yr ysgol yn un ar bymtheg oed a chael gwaith fel clerc cyflogau yng Ngwaith Dur Llanelli yn adran y llenni metel. Fe wyddwn i mai rhywbeth dros dro fyddai hyn, serch hynny, gan fod fy mryd i ar fynd i'r môr. Y drws nesaf i'r swyddfa roedd y stafell ambiwlans, ac fe fyddwn i'n treulio llawer o amser yno'n gwrando ar y negeseuon cod Morse.

Yn ystod y cyfnod hwn roedd Harry Parry'n perfformio ym Manceinion yn Rownd Derfynol Bandiau Dawns Prydain ac fe es i fyny yno ar ôl dweud celwydd yn y gwaith bod rhywun adre'n glaf. Fyny â fi ar y trên a chyrraedd 'nôl yn ystod oriau mân y bore a mynd i'r gwaith bore trannoeth. Roedd Mervyn a fi wedi darganfod Johnny Hodges, chwaraewr *alto sax* a oedd wedi chwarae gyda Duke Ellington ar ôl i ni glywed Harry Parry yn sôn amdano. Roedd ganddo fe gân ar record HMV o'r enw 'Daydream', ac fe wnaeth

Mervyn a finne ei phrynu un Nadolig. Roedd ein casgliad ni'n tyfu ac yn dod yn fwy graenus o wythnos i wythnos – jazz clasurol, yn naturiol – ond er bod gen i, fel pob bachgen ifanc, ddiddordeb nawr hefyd mewn merched, doedd e ddim cymaint â'r diddordeb mewn jazz. Byddem, fel bechgyn ifanc, yn oedi ar gornel stryd yn gwylio'r 'Monkey Parade', sef merched yn cerdded rownd a rownd yn disgwyl i fachgen eu breuddwydion ofyn iddyn nhw fynd am dro. Os na ddeuai bachgen eu breuddwydion heibio, fe wnâi rhywun arall y tro nes y cyrhaeddai hwnnw. Y milwyr fyddai'n denu sylw'r merched, wrth gwrs, yn enwedig y milwyr Americanaidd yn eu lifrai trawiadol. Roedd y dref bryd hyn yn llawn dynion mewn lifrai; milwyr adre ar wyliau o'r rhyfel oedd rhai, ynghyd â'r Americanwyr. Roedd y 'Monkey Parade' yn golygu'r ardal lawr Stryd Stepney, rownd Gwesty'r York, draw at Boots a 'nôl wedyn rownd y bloc i Stryd Stepney.

Ar ôl cyfnod fel clerc, fe wnes i benderfynu mynd i Goleg Hyfforddi Radio De Cymru'r Llynges Fasnachol ym Mae Caswel, lle a oedd eisoes wedi dioddef difrod gan fomiau'r Almaenwyr. Fe fyddwn i'n teithio yno'n ddyddiol ar y trên ac yna ar y bws ac fel rhan o'r cwrs fe fydden ni'n derbyn ac yn cofnodi negeseuon go iawn oddi ar wahanol longau. Fe wnes i basio'r arholiad ac rown i nawr yn disgwyl am long y medrwn i ymuno â hi. Ond, yn y cyfamser, fe ddaeth yr alwad swyddogol i ymuno â'r lluoedd arfog, ac fe ddewisais i'r Llynges Frenhinol.

Cyn i fi ymuno â'm llong gyntaf fe ges i fy ngalw i Aberdeen i'r coleg radio yno. Yno, fe ddaliais i dwymyn y brechlyn a gorfod mynd i'r ysbyty ond, wedi i fi wella, fe anfonwyd fi ar gwrs radio i Goleg Technegol Walthamstowe yn Llundain, rhan o Goleg De-orllewin Essex, i ddilyn cwrs radio. Roedd hwn yn gyfnod pan oedd y ddinas yn darged bob nos i rocedi V1 yr Almaenwyr, y *buzz-bombs* neu'r *doodle-bugs*. Profiad arswydus oedd clywed eu synau uwchben a phrofiad mwy arswydus fyth oedd clywed eu swn yn distewi gan mai dyna'r arwydd eu bod nhw ar fin disgyn. Rown i'n lletya yng nghartref dwy chwaer, Doris ac Edith Flack, ac, wrth fynd allan i'r coleg yn y bore, byddwn i'n pasio adfeilion adeiladau a oedd, y noson cynt, yn sefyll yn gyfan.

Drwy'r cyfan i gyd, roedd y miwsig yn dal i fynd. Un noson rwy'n cofio mynd i'r Assembly Halls i weld Freddie Mirfield and his

Gyda rhai o'r criw wrth wn rhif 3 ar ddec y Creole 1946

Garbagemen, ar y llwyfan wedi eu gwisgo fel dynion lludw a biniau sbwriel o'u cwmpas. Band jazz traddodiadol oedd hwn, a'u clarinetydd nhw oedd Johnny Dankworth a oedd ar y pryd yn cychwyn ar yrfa ddisglair.

Fe es i fyny wedyn i'r Alban i HMS *Scotia* fel is-swyddog i weithio ar drosglwyddyddion ac yna 'nôl i Petersfield i'r *Royal Naval Signals School* fel hyfforddwr. Ond cyn hynny oll fe ddaliais i ar y cyfle hefyd i gael cyfweliad ar gyfer astudio codau yn Bletchley Park ger Milton Keynes, lle crëwyd y peiriant *Enigma* ar gyfer torri codau cyfrin y gelyn. Er i fi fod yn llwyddiannus a chael cynnig gwasanaethu yno fel aelod o'r Fyddin, fe benderfynais i ddisgwyl am fy llong gyntaf. Fe ddaeth yr alwad ym mis Mai 1944.

Nid fi oedd yr unig fachan ifanc o Lanelli i fynd, wrth gwrs. Roedd galwadau milwrol ar aelodau eraill y band wedi arwain at chwalu Paul Vincent and his Rhythm Boys. I Skegness y ces i fy nanfon, i hen wersyll gwyliau Butlins. Am yr wythnos gyntaf doedd dim byd i'w wneud ond dyma ryw swyddog yn rhoi cyllell i fi a dweud wrtha i am fynd i dorri'r borfa o gwmpas y cytiau. Dyna sefyllfa – y rhyfel ar ei anterth a finne'n torri'r borfa â chyllell fwyta! Mae'n rhaid bod Hitler yn crynu!

Yna, un dydd, fe wnes i eistedd wrth y piano yn y clwb Toc H pan ymunwyd â fi gan rywun dieithr, a gyflwynodd e'i hun fel Jim Frost o

Y brodyr yn eu lifrai – fi yn y Llynges, Alwyn yn yr Awyrlu a Mervyn yn y Fyddin

Southampton. Y dôn rown i'n ei chwarae oedd wedi ei ddenu draw, y 'Royal Garden Blues' gan Clarence a Spencer Williams, wedi ei phoblogeiddio gan Bix Beiderbecke. A dyma fe'n dweud ei fod e'n glarinetydd, ac mae'r ddau ohonon ni'n dal yn ffrindiau. Fodd bynnag, fe'n gwahanwyd ni, yn anffodus, pan benodwyd ef yn Swyddog Addysg fel canol longwr a minnau'n cael f'anfon i'r Alban i arbenigo ar waith radio lle ces i fy mhenodi'n is-swyddog. Yno fe agorwyd drws arall eto fyth i fi drwy gael y cyfle i wrando ar y radio ar *The Voice of America*, lle roedd jazz yn cael cryn sylw.

Un dydd, dros yr uchelseinydd, daeth galwad i fi fynd i'r Swyddfa Adrannol lle cefais orchymyn i ymuno â chriw'r HMS *Craille*. Wyddwn i ddim ble oedd Craille, ond fe esboniodd rhywun ei fod e'n safle llynges arfordirol yn yr Alban. Ond wedyn dyma ddeall nad Craille oedd yr enw ond *Creole*. Llong ryfel oedd HMS *Creole* newydd ei hadeiladu gan gwmni John Samuel White yn Cowes. A dyna gyd-ddigwyddiad – ceir pobol o dras Creole, gyda'u traddodiadau a'u miwsig unigryw eu hunain yn byw yn ardal New Orleans, crud jazz traddodiadol. Cymysgedd o bobol o dras Affricanaidd a Ffrengig ydyn nhw; yn wir, roedd gan Duke Ellington

Yn fy lifrai adeg fy ngwasanaeth morwrol

dôn a alwodd yn 'Creole Love Call'. Doedd dim dianc rhag y miwsig.

Pump ohonon ni aeth ar y llong gyntaf ar afon Medina yn Cowes, Ynys Wyth, a fy ngwaith i fel swyddog telegraffi radio oedd goruchwylio'r rhai oedd yn gosod y system radio ar gyfer ei mordaith gyntaf. Fe ges i a'r swyddog radar lodjins yn rhif 82 Mill Hill Road yn Cowes. Yn eu tro fe gyrhaeddodd aelodau eraill o'r criw, yn cynnwys y Prif Lefftenant ac yna'r Capten, Grenville Cowley, gan wneud cyfanswm o 120. Yn gymdeithasol, roedd bywyd yn braf; roedd ganddon ni dimau pêl-droed a chriced ac weithiau fe gawn gyfle i groesi i Southampton i ymweld â Jim Frost a chwarae recordiau jazz yn ei gartref. Fe fyddwn i'n chwarae yn ei fand hefyd; yn wir, fe wnaethon ni record gyda'n gilydd o 'Just a Closer Walk With Thee', un o emynau jazz mwyaf America. Rwy'n cofio mai un o'n hoff fandiau ni ar y pryd oedd Bob Crosby and the Bobcats. Roedd Bob yn frawd i Bing Crosby ac arwyddgan y band oedd 'Summertime', cân a gyfansoddwyd gan George Gershwin ar gyfer y sioe gerdd *Porgy and Bess.*

Cyn gynted ag yr oedd yr holl offer wedi'i osod ar y llong fe aethon ni â hi allan am brofion gogwydd a chyflymdra gan gyrraedd tua 36 milltir fôr yr awr. Roedd arni bedwar gwn pum modfedd a fedrai droi ar eu hechel, dau yn y blaen a dau y tu ôl, a hefyd ynnau gwrthawyrennau a chwe thiwb torpido. Yn ogystal, roedd ganddon ni ffrwydron dwfn.

Roedden ni fel criw bellach yn aelodau o Awdurdod Porthladd Portsmouth ac, yn rhyfedd iawn fe anfonwyd Mervyn, a oedd hefyd wedi ei alw i wasanaethu erbyn hyn, yno hefyd i farics y Fyddin. Fe ddaeth e lawr i'r llong i 'ngweld i un dydd ac fe stwffiodd bois y gegin ef â bwyd ac yntau'n methu credu fod ein bwyd ni mor dda o'i gymharu â bwyd y Fyddin. Newydd fod mewn siop gerdd yn prynu un o recordiau Louis Armstrong oedd e, record ar *Black Label Parlophone*, a chan mai fi oedd yng ngofal y system sain, fe fyddwn i'n chwarae recordiau jazz byth a hefyd drwy'r holl long ac fe wnes i chwarae record Louis, wrth gwrs. Rwy'n cofio mai 'Static Strut' oedd arni a 'Muggles' ar yr ochr arall. Arwyddgan y llong oedd y clasur jazz 'On the Sunny Side of the Street' gan Tommy Dorsey. Gymaint oedd hoffter rhai ohonon ni'r criw o fiwsig fel i ni smyglo piano ar fwrdd y llong a'i glymu wrth un o'r gynnau a'i guddio dan adlen y gwn. Yn anffodus, un diwrnod stormus allan ym Môr Iwerydd, fe'i golchwyd e dros yr ochr i'r môr.

Fi gyda chriw o fyfyrwyr yng Ngholeg Technegol Walthamstowe yn 1945

Wedi i'r *Creole* basio'i holl brofion, fe hwylion ni draw i Derry yng Ngogledd Iwerddon lle roedd ein canolfan ac yno ymunon ni â'r *Sixth Destroyer Escort Flotilla*. Ar y ffordd fe aethon ni heibio'r Lizard gan hwylio fyny'r Môr Celtaidd heibio i Benfro, a finne'n meddwl y medrwn i nofio adre o fan'ny! Yn Derry, roedden ni ar y ffin â Gweriniaeth Iwerddon, wrth gwrs.

Gyda ni fel fflotila roedd y *Crispin*, llong yn union yr un fath â'r *Creole*, a phedair ffrigad, y *Loch Trallaig*, y *Loch Arkaig*, y *Loch Vayati* a'r *Loch Fada*, yn ogystal â llongau tanfor. Ni oedd yr ail yn y grŵp, y tu ôl i'r *Crispin*. Rhan o'n gwaith ni oedd defnyddio *Asdics*, sef anfon cyfres o seiniau i'r dwfn a'r rheiny'n atseinio'n wahanol o ganfod llongau tanfor y gelyn. Os byddai sŵn curiadau'r *Asdic* yn cyflymu fe wydden ni fod yna rywbeth yno dan y dŵr ac yna fe fydden ni'n gollwng ffrwydron dyfnder. Yr unig rai i ddioddef fel arfer oedd pysgod gyda channoedd ohonynt yn gorwedd yn farw ar yr wyneb ac fe fydden ni'n ciniawa ar bysgod am wythnosau wedyn.

Roedd nifer o longau yn gorwedd dan y môr wedi eu suddo gan y naill ochr neu'r llall ac roedd pentir Malin yn fan peryglus lle byddai llongau tanfor yr Almaen yn stelcian. Ymhlith y llongau a suddwyd roedd y *Llandovery Castle*, llong ysbyty ac, wrth gwrs, roedd ymosod ar long ysbyty yn drosedd ryfel o'r gwaethaf. Ceisiodd capten y llong a'i suddodd ddileu pob tystiolaeth, gan gynnwys y badau achub a'r rhai oedd ynddynt. Ond llwyddodd un bad yn cario dau ddwsin i ddianc

47

Y Creole, y llong y treuliais fy ngwasanaeth morwrol arni

â'u bywydau i adrodd yr hanes. Lladdwyd 248 o'r criw a'r cleifion.

Pan wawriodd Diwrnod VE, sef *Victory in Europe*, ar 7 Mai 1945 rown i adre ar wyliau. Y noson honno, yn fy lifrai morwr, fe ymunais i â'r cannoedd ar sgwâr Neuadd y Dref i ddathlu. Roedd yno ganu a bloeddio, partïon stryd a thân gwyllt yn cael eu taflu. Hitiodd un ohonyn nhw fi yn fy llygad a llosgi twll yn fy nghôt morwr ac, yn waeth na hynny, dallwyd fi mewn un llygad am fis. Dyna i chi eironi: llwyddo i fyw drwy ymosodiadau rocedi V1 Hitler yn Llundain a chael fy anafu yn fy llygad gan dân gwyllt strae o flaen Neuadd y Dre yn Llanelli! Gyda chlwt dros un llygad edrychwn fel y morwr arall hwnnw, Nelson. Fe ges i driniaeth yn yr ysbyty gan arbenigwr o'r enw Doctor Phillipe, a oedd yn feiolinydd gyda Cherddorfa Ffilharmonig Berlin.

Yn raddol, fe ildiodd llongau a llongau tanfor yr Almaen ac fe hwyliodd nifer ohonyn nhw i mewn i borthladd Derry. Fe fues i'n dyst i rai o gomanders llongau tanfor yr Almaen yn ildio ac yn estyn llaw at rai o'r llyngesyddion Prydeinig ond y rheiny'n gwrthod ysgwyd llaw â nhw. Roedd hynna i fi yn beth gwrthun. Yna, ar 15 Awst, daeth y brwydro yn erbyn Japan i ben.

Fe barhaodd dathliadau Diwrnod VE am ddyddiau a nosweithiau ac fe ddaeth y golau 'nôl dros Lanelli a thros Ewrop. Ac un o ganeuon mwyaf poblogaidd y bandiau jazz oedd cân Jack Yellen a Milton Alger o ddiwedd y dauddegau:

> Happy days are here again,
> The skies above are clear again,
> Let's sing a song of cheer again,
> Happy days are here again.

Pan ymunais i â'r Llynges fe wnes i arwyddo ar gyfer amser rhyfel yn unig fel HO, hynny yw *Hostilities Only*, ond arhosais ymlaen tan fis Chwefror 1948 gan mai'r cyfnod byrraf y medrwn fod ar wasanaeth oedd tair blynedd a hanner. Derbyniais destimonial clodwiw wrth adael gan y Capten, Grenville Cowley, a 'nôl â fi i Lanelli heb wybod beth fyddai fy nyfodol. Os oedd tref Llanelli wedi ei hailoleuo, roedd fy nyfodol i yn dywyll.

Pennod 3

Wedi i iwfforia diwedd y rhyfel ddod i ben, a finne wedi gadael y Llynges, rown i nawr ar goll, heb ddyfodol a heb gynlluniau. Ailadeiladu oedd y peth mawr nawr: ailadeiladu tai a ffatrïoedd oedd wedi eu bomio, ailadeiladu canol dinasoedd, ailadeiladu ysbryd ac ailadeiladu hyder. Ond rown i'n ei chael hi'n anodd ailgydio mewn pethe ac rown i wedi fy nadrithio'n llwyr nawr.

Roedd Alwyn a Mervyn, yn ogystal â Margery, wedi mynd i mewn i'r byd dysgu gan lwyddo i ffeindio'u traed yn glou iawn. Roedden nhw wedi llwyddo i gymryd y naid 'nôl i normalrwydd heb unrhyw drafferth a finne, ar y llaw arall, ar ôl tair blynedd a hanner ar long lle byddai pawb yn gweithio fel tîm ac yn dibynnu ar gydweithio, yn gwbl ddigyfeiriad.

Fe ges i gynnig ymestyn fy nghytundeb gyda'r Llynges ond, na, teimlwn fy mod i eisoes wedi bod oddi cartref yn rhy hir a rown i am fod 'nôl yng Nghymru. Yn ddelfrydol fe fyddwn i wedi dymuno mynd ymlaen i astudio techneg a thechnoleg radio ond doedd dim cyrsiau addas ar gael yn y gwahanol golegau. Yr unig faes arall a apeliai ataf oedd astudio'r crefftau ar gyfer mynd yn athro celf a chrefft, bron iawn yr unig bwnc arall y gwyddwn i unrhyw beth amdano. A dyna beth wnes i; yn wir, doedd dim dewis gen i gan mai dyna'r unig ddrws oedd yn agored.

Roedd y colegau hyfforddi a'r colegau crefft yn orlawn o bobol fel fi oedd wedi bod yn y lluoedd arfog ac, yn ffodus, roedd grant ar gael. Cyn hynny, pobl ifainc yn syth o'r ysgol oedd yn mynd yn fyfyrwyr. Ond roedd pobl fel ni, pobl hŷn ac aeddfed oedd wedi bod yn y lluoedd arfog, yn fwy parod i herio awdurdod. Doedden ni ddim yn goddef ffyliaid yn hawdd. Os byddai'r bwyd yn wael, er enghraifft, fe fydden ni'n gwneud yn siŵr bod yr awdurdodau'n cael gwybod hynny ac yn gwneud rhywbeth yn ei gylch. Os na fydden ni'n hapus ag ymddygiad ambell ddarlithydd, fe fydden ni'n dweud hynny. Doedden ni ddim yn ofni sefyll dros ein hawliau.

Yn ystod fy mlwyddyn gyntaf yng Ngholeg y Drindod roeddwn yn rhannu stafell yn un o neuaddau preswyl y coleg ac yna, y flwyddyn wedyn, fe ges i lojins yn Allt-y-cnap yn Nhre Ioan. Cwrs hyfforddi dwy flynedd i ddarpar athrawon oedd y cwrs, a finne'n gwneud gwaith llaw safon uwch, celfyddyd a Chymraeg.

Yn y cyfamser, yn ystod fy mlwyddyn gyntaf, fe wnes i briodi ac fe anwyd Neil, y mab, yn 1949. Merch o Ystalyfera oedd Pat a oedd yn gweithio mewn banc. Yn anffodus fe aeth pethe o chwith yn gymharol fuan. Roedd hi'n uchelgeisiol iawn gan lwyddo i gael swydd dda ar yr ochr ariannol gyda chwmni glo brig a olygai gyfnodau pan fyddai hi bant ar gyrsiau. Wedyn, fe benderfynodd yr hoffai hi fynd i America, a dyna beth wnaeth hi pan oedd Neil yn dal yn faban er iddo fod gyda hi am gyfnod nes iddi fynd. Welodd e na fi ddim ohoni byth wedyn. Dydw i ddim yn beio neb. Mae'r pethe

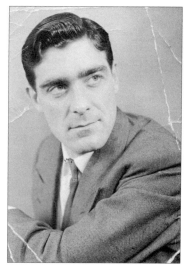

Fi yn y pumdegau

hyn yn digwydd mewn bywyd, er eich bod chi'n twyllo'ch hunan na wnaiff e byth ddigwydd i chi.

A dyna ble'r oeddwn i nawr yn y byd go iawn, yn dad sengl i faban bach, ar ôl i'r Llynges fy nghysgodi am dair blynedd a hanner. Bywyd artiffisial oedd e i raddau helaeth a bellach rown i'n ddinesydd o'r byd real. Ond, diolch i Dduw, roedd gen i deulu ac mae uned ein teulu ni wedi bod yn gryf erioed.

Fe ges i hefyd ddos go gryf o sinigiaeth. Yn y Llynges roedd dynion wedi dringo'r ysgol yrfaol i'w gwahanol rengoedd am eu bod nhw wedi haeddu hynny ac roen nhw'n cael eu parchu am lwyddo i wneud hynny. Mor wahanol oedd bywyd ar y tu allan yn y ras lygod oedd ohoni. Roedd rhai darlithwyr yn y coleg yn dringo o ganlyniad i roi cyllell yng nghefn eraill neu ynteu lyfu tinau'r rhai oedd mewn awdurdod. Rown i'n gweld eisiau'r frawdoliaeth glòs a oedd yn bodoli yn y Llynges.

Roedd yna hierarchaeth yn bodoli yn Llanelli yn y dyddiau hynny, a sir Forgannwg wedyn, ac os oeddech chi am ddod ymlaen yn y byd roedd gofyn eich bod chi'n addoli'r pedwar llo aur. Roedd disgwyl eich bod chi'n cefnogi'r Blaid Lafur, yn aelod o'r Seiri Rhyddion, yn flaenllaw o fewn y Sanhedrin rygbi ac yn Fedyddiwr.

Aelod o dîm hoci Llanelli, 1953

Os oeddech chi'n perthyn i'r pedwar categori, fe fyddech chi'n gadwedig, ond gwae chi os oeddech chi'n cefnogi Plaid Cymru. Felly, ar wahân i fod yn Fedyddiwr, doeddwn i ddim yn ffitio'r llun. Er hynny, fe wnes i lwyddo i gael fy swydd gyntaf fel athro yn Nhalacharn a chael llety yn Rosetta House heb fod ymhell o'r Mans. Yn ystod y cyfnod hwn wedi'r rhyfel roedd agor Canolfannau Uwch yn gyffredin yn sir Gaerfyrddin a rhyw Sais o'r enw Mr Cameron o Newcastle oedd yng ngofal y Ganolfan yn Nhalacharn. Bachan digon ffeind. Roedd prifathro'r ysgol, Doug Bradshaw, ar y llaw arall yn ddisgyblwr llym ac yn defnyddio'r gansen yn rheolaidd. Er hynny, fe allai fod yn fachan cyfeillgar iawn. Yn bersonol, rown i'n llwyr yn erbyn defnyddio'r gansen a wnes i ddim o'i defnyddio erioed. Yn y Ganolfan roedd gen i weithdy gwaith metel, efail gof, peiriannau troi a drilio a labordy gwyddoniaeth, a'r cyfan yn newydd. Roedd y disgyblion yn yr ysgol yn amrywio o ran oedran o un ar ddeg oed i bymtheg.

Roedd Talacharn yn dref ynysig a mewnblyg iawn ac os nad oeddech chi wedi'ch geni yno, chaech chi ddim o'ch derbyn. Rown i'n adnabod rhai a oedd wedi byw yno am ugain mlynedd ond a gâi eu hystyried yn ddieithriaid o hyd. Roedd yna gymeriadau lliwgar iawn yn byw yn y dre. Dyna i chi ŵr a gâi ei adnabod fel Bwda, er enghraifft. Roedd e'n byw yn Ferry House ac yn fud a byddar ac fe gafodd e'i amau o lofruddio hen wraig leol, Lizzie Thomas. Roedd

Aelodau'r band cyntaf yn yr Half Way yn 1954 – Mervyn (piano), fi, Peter Lewis (drymiau), Graham Davies (trymped) a Mel Guy (trombôn)

hyn sbel wedi i fi adael, ym mis Ionawr 1953, a'r gred yn lleol oedd mai Ronnie Harris, mewn gwirionedd, oedd wedi ei lladd hi. Cafodd Ronnie ei grogi wedyn am lofruddio'i ewythr a'i fodryb, John a Phoebe Harris, yn ddiweddarach yr un flwyddyn. Byddwn i'n ei weld e'n aml yn gyrru 'nôl a blaen yn ei *Land Rover*. Roedd ganddo fe enw drwg hyd yn oed bryd hynny, ac roedd pobol yn ofni ei groesi. Ychydig wnes i feddwl bryd hynny y byddwn i, ymhen blynyddoedd, yn cymryd rhan ar S4C mewn drama ar hanes Harris yn y gyfres *Dihirod Dyfed*, yn actio rhan ei dad.

Y teulu mwyaf dylanwadol yn Nhalacharn oedd y teulu Williams. Billy oedd yn rhedeg y gwasanaeth bysys yno yn ogystal â'r gwasanaeth trydan a'i frawd Ebbie oedd yn berchen y Browns Hotel. Roedd Billy yn gymeriad ecsentrig iawn yn gwisgo legins a het fawr, un debyg i'r hetiau y byddai helwyr yn eu gwisgo yn y jyngl. Yn y garej lle roedd e'n cadw'i fysys roedd ganddo injan wedi ei thynnu o long danfor Almaenig o'r Rhyfel Mawr a byddai'n defnyddio hon i gyflenwi trydan i'r dre. Roedd y system yn un gyntefig iawn a phan fyddai'n bwrw glaw, byddai fflachiadau glas yn tasgu mas o'r weiers fel mellt.

Roedd gan Billy frawd, Ebbie, ac ef oedd yn cadw'r swyddfa bost a thafarn y Browns. Yn wir, teulu Williams oedd yn rhedeg y dref, i bob pwrpas. Fe fyddwn i'n cynnal dosbarthiadau nos i oedolion, a

Y band ddechrau'r nawdegau: Arthur Perry (drymiau), fy mrawd Mervyn (feibs),
fi, John Phillips (piano) a Ron Davies (bas)

phob tro y byddwn i'n troi'r turniwr ymlaen fe fyddai holl oleuadau'r
dre yn diffodd. Pan gymerodd y Bwrdd Trydan at gyflenwi'r dre fe
fydden nhw'n talu swllt a chwech i Billy am bob plwg y byddai'n ei
osod yn nhai'r dref ar eu rhan. Ymateb Billy fu gosod plygiau ym
mhob man posibl ym mhob tŷ. Serch hynny, hen bobol iawn oedd
Billy ac Ebbie.

Un tro, ym mis Mawrth 1951, fe drefnodd Doug Bradshaw daith
yn un o fysys Billy i Ynys Angharad, Pontypridd, i griw ohonon ni
weld Tommy Farr yn ymladd yn erbyn bachan o'r enw Frank Bell.
Roedd yr hen Tommy wedi ymddeol ers deng mlynedd ond wedi
ailgydio yn ei yrfa gan ennill dwy o'i dair ffeit ers hynny ond colli yn
erbyn Lloyd Marshall. A'r noson honno ym Mhontypridd fe
gnociodd Bell e mas yn yr ail rownd.

Weithiau fe fyddai Mr Cameron a finne'n mynd am dro o
gwmpas y dre. Un noson fe wnaethon ni droi ar hyd y lôn uwchlaw'r
môr ac wrth i ni basio Sea View fe glywon ni sŵn lleisiau'n dadlau'n
uchel, lleisiau dyn a menyw. Yna dyma sŵn ffenest yn chwalu ac fe
ddisgynnodd potel o *gin* yn yfflon wrth ein traed ni. Dylan Thomas
a'i wraig Caitlin oedd wrthi, a hi wedi taflu'r botel ato fe. Yn ffodus
iddo fe, doedd ei hannel hi ddim yn dda ac fe hedfanodd y botel drwy'r

Wyn Lodwick a'i Bedwarawd 'nôl yn y chwedegau cynnar – Brian Evans, piano;
Hubert Hughes, bâs; fi ac Alwyn Davies, gitâr

ffenest. Wyddwn i ddim pwy oedd e bryd hynny, ond fe'i gwelwn i
e'n aml yn y Browns Hotel yn yfed a dal pen rheswm gyda'r
cwsmeriaid.

Plismon Talacharn ar y pryd oedd Dai *Farmer* Jones a fu ar un
adeg yn lletya drws nesa ond un i'n tŷ ni yn Marble Hall Road; roedd
e'n focsiwr da iawn. Doedd y Browns ddim yn enwog iawn am gau ar
amser ac un noson fe wnaeth Dai gymryd enwau Dylan a Caitlin,
ymhlith eraill, am yfed yn hwyr. Ond dal i fod yn agored bob awr o'r
dydd a'r nos wnaeth y Browns.

Ar ôl gosod y seiliau yn Nhalacharn fe wnes i symud i Dre-lech i
wneud yr un math o waith mewn canolfan debyg. Er fy mod i'n dal yn
briod ac yn byw yn Ystalyfera roedd yn rhaid i fi gael lletya yn Nhre-
lech, fel yn Nhalacharn. Fe wnes i ddechre drwy ddefnyddio
trafnidiaeth gyhoeddus, a hynny'n golygu y byddai angen i fi ddal
cynifer â chwech o wahanol fysys. Fe fyddwn yn gorfod gadael am
4.30 yn y bore a newid ym Mhontardawe i ddal y bws o Gastell Nedd
i Waun Cae Gurwen. Yno, dal bws y glowyr i Rydaman a newid yno
am fws i Gaerfyrddin. Wedyn, aros yno am fws cwmni *Pioneer* i San
Clêr lle cawn i lifft dros ran ola'r daith gan Miss Lewis, yr athrawes

Y band yng nghwmni'r gwleidydd Dennis Healy a'i frawd Peter ym Mhontarddulais

Gwyddor Cartref yn Nhre-lech.

Yno roedd gen i ganolfan grefft gwbwl fodern eto gyda'r offer a'r adnoddau diweddaraf. Ond roedd y bobol yn gwbl wahanol i bobol Talacharn. Yn un peth, roedden nhw bron i gyd yn siarad Cymraeg tra oedd Talacharn bron yn uniaith Saesneg. Yn wir, doedd Talacharn ddim hyd yn oed yn Gymreig. Tom Williams oedd y prifathro, dyn hyfryd. Un cyfraniad wnes i yno oedd gosod llain criced lawr a chael yr awdurdod sirol i edrych ar ei ôl ac un tro fe drefnais gêm yno rhwng Tre-lech a Thalacharn. Welais i ddim erioed ddau griw mor wahanol i'w gilydd; roedd hi'n anodd credu eu bod nhw byw yn yr un wlad, heb sôn am yr un sir. Ond, am ryw reswm, fe ddaethon nhw'n ffrindiau mawr ar y maes criced ac yn y dafarn wedyn.

Fe wnes i letya am ychydig ar fferm Pant-y-berth, a mwynhau byw yno er nad oedd gen i'r syniad lleiaf am ffermio. Yna, cefais gynnig tŷ yn y pentre ond doedd Pat ddim yn awyddus i ddod mas i bentref gwledig a dyna un o'r dadleuon a'n harweiniodd ni i ymwahanu. Yna fe adawodd Pat a rhaid oedd i fi gael swydd yn nes at gartref gan mai Mam nawr oedd yn gofalu am Neil. Yn rhyfedd iawn, olynwyd fi yn Nhre-lech gan Mervyn. Cefais swydd wedyn ym

Mhontyberem yn 1953. Fe ddaliais wedyn ar gyfle i dreulio blwyddyn yn astudio ar gwrs yn Loughborough er mwyn ychwanegu at fy mhrofiad dysgu. Yno fe wnes i ganolbwyntio ar astudio peirianwaith a chynllunio dodrefn.

Fe fyddwn i'n perfformio cryn dipyn yn ardal Loughborough ac un o'r neuaddau lle byddwn i'n chwarae oedd Quorn Hall, yng nghanol ardal hela llwynogod a llawer o grach yn byw yno. A thra oeddwn i yn Loughborough y daeth awr fawr fy mywyd, cael cwrdd â Louis Armstrong. Roedd Louis a'i All-Stars ar daith ac yn ymddangos yng Nghaerlŷr un noson, saith milltir lawr yr hewl yn y Granby Halls. Gyda fi roedd Gareth Griffiths a Dai Hayward, a oedd yn gyd-fyfyrwyr yn y coleg, a'r ddau wedi mynd ymlaen wedyn i chwarae rygbi dros Gymru. Fe aethon ni yno mewn car mawr *Railton*, tebyg i gar gangsters Americanaidd. Car anferth o liw glas metelaidd, gyda Dai yn gyrru. Roedd e'n gar sychedig, ac ni theithiai ond naw milltir ar alwyn o betrol.

Roedd y neuadd yn orlawn a ninnau'n eistedd 'nôl yn y cefn, a dyma fi'n crwydro i gefn y llwyfan cyn i'r cyngerdd gychwyn ac i'r stafelloedd gwisgo. Roedd hyn yn arferiad gen i ers dyddiau llencyndod yn yr Empire yn Abertawe; doedd dim yn well gen i na thrafod jazz gyda'r artistiaid oedd yn ymddangos. Ar ôl crwydro o gwmpas, fe gnociais i'n ofnus ar ddrws a phwy wnaeth ateb ond Edmond Hall, y clarinetydd, a oedd wedi chwarae gyda Teddy Wilson ac wedi ymddangos gyda Louis yn y Carnegie Hall, Efrog Newydd, yn 1947. A dyma sgwrsio â hwnnw am ei dechneg ac yn y blaen.

Wedyn dyma'r gantores Thelma Middleton yn ymuno â ni. Roedd hi a Louis yn enwog am eu deuawd 'Baby, It's Cold Outside'. Wedi i ni'n tri sgwrsio am sbel fe ddangosodd Ed Hall i fi ble roedd stafell Louis. Fe gnociais ar y drws, ond yn hytrach na llais yn ateb dyma glywed cadenza ar y trympad, 'Pa-pa-pa-da-pa-pa-da-pa'. Fe gymerais yn ganiataol mai nodau o groeso oedden nhw, ac i mewn â fi. Ac yno o fy mlaen roedd y dyn ei hun, gyda'r llygaid mawr a'r dannedd gwynion a'r corn yn ei law. Hwn oedd y dyn jazz enwocaf yn y byd. A fi, bachan bach o Lanelli, yn cael y fraint a'r cyfle i siarad ag e.

'Sorry to impose myself on you, Louis,' medde fi.

Yntau'n ateb gyda'i lais cras, 'Welcome, man.'

Yna fe wnes i ei holi a fyddai e'n chwarae clasuron yr 'Hot Five' a'r 'Hot Seven' y noson honno? Ac yntau'n addo y byddai, gan ychwanegu, 'I sure ain't goin' to play all that modern stuff. That ain't jazz, man, to me that's ju-jitsu.' Roedd Louis yn perthyn i faes miwsig clasurol, fel yr oedd Chopin a Brahms yn eu meysydd nhw.

Uchafbwynt y noson oedd pan arwyddodd Louis ei lyfr i fi. Rown i wedi prynu copi o'r llyfr ar gyfer y noson ac roedd gen i ffownten pen newydd sbon. Fe wnes i ei rhoi yn llaw Louis iddo arwyddo'r llyfr ac fe gydiodd ynddi yn ei ddwrn wrth iddo arwyddo a'i gwasgu mor galed fel i'r nib dorri. Doedd dim ots. Fe falodd e'r pen, do, ond roedd llofnod cerddor jazz mwya'r byd gen i. 'Nôl â fi i'm sedd yn y cefn a neb o'r bois yn credu mod i wedi cwrdd â Louis nes i fi ddangos ei lofnod. Ac mae'r gyfrol honno a llofnod Louis arni gen i o hyd.

Mae hanes Louis yn hanes un a lwyddodd i orchfygu ei amgylchiadau tlawd. Pan oedd yn blentyn ar strydoedd yr Upper Town yn New Orleans, fe'i magwyd gan fodryb ond bu mewn cartref i blant anystywallt lawer gwaith, unwaith am saethu gwn ar y stryd i ddathlu'r Flwyddyn Newydd. Ac yn y cartref y dysgodd chwarae'r cornet gan ymuno â band y cartref pan oedd e'n 13 oed. O'i lencyndod bu'n defnyddio canabis, a pharhaodd i wneud hynny tan ei farw. Pan ryddhawyd ef o'r cartref am y tro olaf, fe aeth i weithio fel cariwr glo cyn ymuno â band Kid Ory ac yna â band ei arwr mawr, King Oliver, a mynd ymlaen wedyn, wrth gwrs, i ffurfio'i fandiau ei hun, yr Hot Five a'r Hot Seven a'r All Stars. Mae'r gweddill yn hanes.

Roedd Louis yn enwog am ei ganu *scat*, sef canu gan ddefnyddio synau yn hytrach na geiriau rhyw 'shwbi-dw ba-ba di-ba' ac yn y blaen. Ond mawredd Louis oedd ei fod e'n parchu pob arddull ac yn medru hefyd chwarae pob arddull gan berfformio gyda dau mor wahanol ag August Strindberg a Johnny Cash.

Nid y noson yna yng Nghaerlŷr fu fy nghysylltiad olaf â Louis. Yn ddiweddarach fe wnes i gyfarfod â Joe Muranyi, a ymunodd â Louis a'i All Stars fel clarinetydd yn y pumdegau; yn wir, fe wnes i brynu clarinét oddi wrtho. Bachan o dras Hwngaraidd oedd Joe ac fe chwaraeodd gyda phrif fandiau'r pumdegau a'r chwedegau i gyd. Tan hynny rown i wedi glynu wrth glarinét Wncwl Ifor ond offeryn dull Albert oedd ei un e ac erbyn hyn rown i wedi newid i'r dull Boehme. Yr adeg honno fe fyddai clarinét ail-law da yn costio tua chan punt ac fe wnes i brynu clarinét hefyd oddi wrth Bob Wilber, oedd â chysylltiad â'r enwog Cotton Club yn Harlem, clwb a oedd yn ei fri adeg y gwaharddiad ar alcohol yn America. Roedd e'n gyn-aelod o fandiau Sidney Bechet a Benny Goodman. Rwy wastad wedi cadw dau glarinét fel bod gen i un wrth gefn o hyd gan eu bod nhw'n bethe sensitif iawn.

Serch hynny, nid yr offeryn yw'r broblem fwyaf i offerynnwr chwyth ond y dannedd ac yn yr hen ddyddiau fe allai colli dannedd ddod â diwedd ar yrfa cerddor. Dyna i chi'r cornetydd mawr hwnnw Bunk Johnson y daeth ei yrfa i ben pan fu'n rhaid iddo gael ei ddannedd mas. Ymhen blynyddoedd, a rhywun yn awyddus i ail-greu sain New Orleans, fe'i ffeindiwyd ef yn gyrru lorri a llwyddodd rhyw arbenigwr i adeiladu set o ddannedd gosod iddo a'i alluogi i ailgydio yn ei yrfa. Fe ges i broblem fawr fy hunan pan dynnwyd fy nannedd. Yn ffodus mae Al Volmer, rheolwr yr Harlem Blues and Jazz Band, band rwy wedi chwarae iddyn nhw fel gwestai ers dros chwarter canrif bellach, yn orthodeintydd o fri ac fe ges i gynghorion buddiol gydag e.

Fe fues i'n lwcus iawn cael y cyfle i weld Louis. Doedd Undeb y Cerddorion ddim yn rhyw barod iawn i ganiatáu i fandiau o America ddod draw am eu bod nhw'n mynd â gwaith cerddorion Prydeinig ond yna fe wnaethon nhw gyfaddawdu drwy ganiatáu i rai ohonyn nhw ddod draw i chwarae yn gyfnewid am fandiau pop fel y Beatles. Dyna sut y cafwyd Duke Ellington i chwarae yng Nghaerdydd. Ac, wrth gwrs, fe wnes i fynd i gefn y llwyfan i siarad ag e, a chael sgwrs hir ag e ar ei ddull o drefnu cyweirnodau. Band du oedd band Ellington, fel band Count Basie ac roedden nhw'n gwbwl ar wahân i fandiau fel band Tommy Dorsey a Benny Goodman; cerddorion gwyn i gyd oedd gan y rheiny. Yn fwy na hynny, roedd aelodau'r bandiau duon a'r bandiau gwynion yn cael eu cadw ar wahân yn gymdeithasol; dim yfed gyda'i gilydd, dim bwyta gyda'i gilydd. Roedd eu miwsig nhw'n gwbwl wahanol hefyd, gyda Louis ac Ellington yn tynnu ar yr un gwreiddiau ond y bandiau gwyn yn tynnu o ffynhonnell gwbwl wahanol.

Yng Nghaerdydd hefyd y cwrddais â Basie, ef a'i gitarydd Freddie Green. Doedd gan Basie fawr ddim i'w ddweud; un tawedog oedd e wrth natur, yn gadael i'w fysedd wneud y siarad. Ond do, fe lwyddais i gwrdd ag e a Green yng nghefn y llwyfan. Fe wnes i gwrdd â Basie yn Llundain hefyd. Roedd y twrnai Gilmour Evans a finne'n aros mewn gwesty. Mae 'na hen ddywediad sy'n mynnu nad yw twrneiod yn chwarae jazz, ond doedd hynny ddim yn wir am Gilmour. Roedd e'n chwarae'r gitâr a'r banjo. Y tu allan, dyma fws band Basie'n cyrraedd a'r cerddorion i gyd yn heidio am y teliffonau i ffonio'u betiau ar geffylau i'r bwcis. Ac roedd gan Basie fand mawr – pump sax, tri thrymped, dau drombôn, piano, bas, drymiau a gitâr – band wedi ei seilio ar draddodiad Kansas City oedd band Basie.

Yn y Maendy yng Nghaerdydd wedyn fe wnes i gwrdd â'r trombonydd Jack Teagarden a oedd wedi chwarae i Louis. Roedd e'n eithriad gan mai dyn gwyn oedd e ond eto'n cynnwys dynion du yn ei fand ei hun. A dweud y gwir, Harry Parry oedd un o'r rhai cyntaf i chwalu'r tabŵ o gadw bandiau naill ai'n gwbwl wyn neu'n gwbwl ddu.

Ond i fynd 'nôl at waith. Ar ôl blwyddyn yn Loughborough fe ddaeth swydd yn rhydd ym Mhontyberem, yn ddigon agos i fi deithio bob dydd o gartref Mam. Yn y cyfnod hwn, fe wnes i sefydlu clwb jazz yn Llanelli. Yn wir, nid clwb jazz cyntaf Llanelli yn unig oedd hwn ond clwb jazz cyntaf Cymru. Er gwaethaf byw bant am lawer o'r amser, rown i wedi llwyddo i feistroli'r clarinét a'r piano ac yn dechrau, gyda Mervyn, chwarae'r fibraffon. Offeryn taro sy'n swnio fel clychau yw'r fibraffon, sy'n debyg i'r seiloffon ond bod morthwylion yn yr achos hwn yn cael eu defnyddio i hitio allweddau alwminiwm yn hytrach na rhai pren. Roedd e'n offeryn poblogaidd gydag artistiaid fel Milt Jackson, Lionel Hampton a Tubby Hayes. Fe gychwynnodd y clwb ei oes yn 1954 yn yr Half Way ac yna fe aethon ni i'r Dock Hotel cyn symud i Neuadd y Sgowtiaid. Fe fuon ni wedyn yn y Cleveland ac yna yn y Melbourne, yn y Mansel ac yna yn y Stepney. Yr hyn oedd yn penderfynu ar y lleoliad oedd bod yno biano da, a hwnnw mewn tiwn, a doedd dim llawer o'r rheiny i'w cael yn Llanelli bryd hynny.

Fe wnes i hefyd ymuno ag Undeb y Cerddorion, neu'r MU. Dyma gyfnod y band cyntaf i mi ei ffurfio, y Band Jazz Celtaidd, neu'r Celtic Jazz Band. Roedd ein cyfansoddiad ni wedi ei seilio ar fandiau traddodiadol New Orleans – piano, bas, banjo neu gitâr, trombôn, trymped, drymiau a chlarinét. Erbyn i ni symud i'r Stepney roedden ni'n gwahodd cerddorion eraill i siario'r llwyfan â ni ac aelodau'r band cyntaf oedd Glan Clark ar y piano, y plismon Douglas Evans ar y bas, Gareth Evans ar y gitâr, Mervyn ar y trombôn, a Hamilton Davies ar y trymped. Peter Lewis oedd y drymiwr a finne ar y clarinét. Fe wnaethon ni raglen i Ruth Parry o HTV o'r Stepney yn ogystal â rhaglen radio o'r Melbourne gyda Nuala Morgan, sef *Nuala in Jazzland*. Merch o Iwerddon oedd Nuala, yn briod â Cliff Morgan.

Y Stepney oedd y lleoliad delfrydol. Roedden ni'n chwarae yn y cyntedd eang gyda grisiau y tu ôl i ni yn ymwahanu i ddau gyfeiriad a loes i'r llygaid heddiw yw iddo gael ei ddymchwel. Roedd e'n un o adeiladau pwysicaf Llanelli. Yn y Stepney hefyd y dechreues i gychwyn cynadleddau jazz, digwyddiadau a wnaeth ragflaenu gwyliau jazz. Byddai fy hen gyfaill o'r Llynges, Jim Frost, yn dod yno gyda'i fand o Southampton a ffrindiau jazz o Aberhonddu gyda'u band. Bois o Abertawe wedyn. Yn y Ritz fe fydden ni'n cynnal dawns Undeb y Cerddorion ac yn ennill saith swllt a chwe cheiniog yr un am wneud hynny.

Roedd y tri ohonon ni frodyr yn chwarae'n rheolaidd erbyn hyn ac fe ddaeth Mervyn i ymuno â'm band i ar y piano a'r trombôn. Ond ar ei ben ei hun roedd Alwyn yn chwarae fwyaf, yn perfformio cerddoriaeth glasurol ar y piano; ef oedd y mwyaf medrus o'r tri ohonon ni. Mae ei fab, Alan, bellach yn chwarae gyda'm band i ar y piano.

Ar ôl sefydlu'r band fe aethon ni ati i feithrin arddull, a'r arddull hwnnw oedd swing wedi cychwyn yma yng ngwledydd Prydain yn y pedwardegau gydag artistiaid fel Harry Parry. Teitl un gân enwog oedd 'It Don't Mean a Thing if it Aint Got that Swing'. Jazz o fath New Orleans y bydden ni'n ei chwarae ar y dechre a chyfansoddiad bandiau New Orleans oedd i'r band. Dim sax ond clarinét, wrth gwrs. Dyma oedd cyfansoddiad bandiau fel Ken Colyer, Terry Lightfoot ac Acker Bilk a dyna'r math ar fiwsig wnaethon ni ei chwarae ar gystadleuaeth *Sêr y Siroedd* ar y radio gydag Alun Williams. Fe aethon ni mor bell â'r rownd gyn-derfynol gan chwarae, ymhlith tonau eraill, 'Anchors Aweigh'. Jazz traddodiadol ysgafn oedd e, yn wahanol i jazz mwy clasurol Louis Armstrong. Aelodau'r band bryd hynny oedd Peter Owen (trymped), Joe Pearce (trombôn), Brian Evans (piano), Dave Cadwallader (drymiau), Doug Evans (bas) a finne ar y clarinét.

Prif nodwedd swing oedd cael adran rythm gref. Penderfynodd rhai o'r bandiau mawr gael gwared â'r offerynnau llinynnol gan roi'r pwyslais ar y cyrn a'r offerynnau chwyth. Un tro ar ei sioe radio fe wnaeth Bing Crosby ofyn i Louis Armstrong esbonio swing. Cafodd ateb diddorol: 'Ah! Swing! Well, we used to call it ragtime, then blues, then jazz. Now it's swing. Ha! Ha! White folks yo' all sho' is in a mess!'

Wrth gwrs, ar rai adegau fe fyddai gofyn i ni chwarae miwsig dawns, fel *waltz*, *quickstep* a *cha-cha-cha*. Ond jobyn o waith fyddai hynny, gwaith bara menyn. Roedd chwarae jazz, ar y llaw arall, yn llawer mwy na jobyn o waith; roedd e'n bleser. Ond beth bynnag fyddai'r arddull, fe fyddai'r ymateb yn wych gyda'r neuaddau'n orlawn bob amser. Cyn hynny, clybiau recordiau oedd yn bodoli yn y de-orllewin gyda chriwiau'n dod ynghyd i wrando ar ddisgiau. Ond nawr dyma ni'n darparu jazz byw. Yn ogystal â pherfformio yn y clwb fe fydden ni hefyd yn ymddangos mewn dawnsfeydd ar hyd a lled y wlad ac, wrth gwrs, yn lleol mewn achlysuron fel Dawns y Maer, Dawns y Cyn-ddisgyblion, Dawns yr Heddlu ac yn y blaen. Lleoliadau poblogaidd eraill i ni oedd y Victoria Hall yn Llambed a'r Ivy Bush yng Nghaerfyrddin.

Nosweithiau poblogaidd iawn wedyn oedd dawnsfeydd y gwahanol ysbytai ac fe wnaethon ni chwarae yn nawnsfeydd ysbytai Abertawe, Trefforest, Glangwili ac eraill. Yn y cyfnod hwnnw fe fydden ni'n gwisgo siwtiau nos ffurfiol a dici-bo. Ond fe fydden ni'n fodlon chwarae mewn unrhyw le ar gyfer unrhyw achlysur, o ddawns grand mewn gwesty moethus i ddawns Ffermwyr Ifanc mewn neuadd bentre. Roedd enw drwg i rai dawnsfeydd bryd hynny ond chawson ni ddim trafferth erioed. Hwyrach bod cynulleidfaoedd jazz yn fwy gwaraidd, wn i ddim. Ond roedd yna ryw deimlad ymhlith pobol barchus fod jazz yn anwaraidd, fel y byddai rhai yn ystyried roc a rôl yn nes ymlaen, gan feddwl amdano fel miwsig estron. Ar ben hynny, roedd e'n cael ei gysylltu â miwsig y bobol ddu. Anwaraidd yn wir! Pan oedd Mervyn yn gweithio yn Ysgol Coleshill, roedd e'n teimlo braidd yn anesmwyth am fod y prifathro, Glanville Williams, yn ddiacon a Mervyn yn anfoddog i dynnu sylw at y ffaith ei fod e'n chwarae mewn band jazz. Pan fyddai'r band yn perfformio, fe fyddai Mervyn yn gofalu sefyll yn agos i'r ochr ger un pen o'r llenni.

Fe ddigwyddodd yr un peth i roc, wrth gwrs. Fe fu protestio mawr pan sgriniwyd y ffilm *Rock Around the Clock*. A dyfodiad roc a rôl wnaeth roi'r farwol i'r Clwb Jazz. Un noson yn y Melbourne gofynnwyd i ni ildio'n lle i fand roc lleol, y Corncrackers, rhagflaenwyr y grŵp Man. Yn dilyn y sioe honno, fe drodd pawb at roc. Serch hynny, fe aethon ni yn ein blaen fel band. Ac fe fyddai rhai pethe annisgwyl yn digwydd. Fe wnaethon ni chwarae yn Nhalacharn unwaith ar yr un noson ag yr oedd drama Dylan Thomas, *Under Milk Wood*, yn cael ei pherfformio yno gan gwmni drama Gwynne D Evans. Ar y llwyfan fe ymunodd Terry James a Wyn Morris â ni, Terry erbyn hyn yn arweinydd cymanfaoedd canu a Wyn, a oedd yn gyd-ddisgybl gyda fi, yn arbenigwr ar Mahler. Wedi dod i weld y ddrama roedden nhw ond gan ddal ar y cyfle hefyd i fwynhau noson o jazz.

Un Nadolig roedd gìg gyda ni yn Brechfa a'r tywydd yn ddrwg gydag eira trwm. Dyma godi aelodau'r band o un i un, yn cynnwys Hubert Hughes, y chwaraewr bas; roedd ganddon ni drêlyr y tu ôl i'r car ar gyfer y bas. Ond doedd neb yn ein disgwyl ni yn Brechfa. Yn wir, doedd neb wedi llwyddo i gyrraedd yno ers dyddiau.

Dyma fi'n galw yng nghartref y ficer, Eric Gray, ac fe redodd hwnnw o gwmpas y pentre i ddweud wrth bawb fod y band wedi cyrraedd. Roedd hi mor oer fel bod angen gwresogydd y tu mewn i'r piano i'w gynhesu. Er gwaetha popeth, fe aeth y noson yn dda, ac fe alwon ni wedyn yn y dafarn. Fe ofynnes i i'r ficer a oedd e'n dymuno cael diod, gan ddisgwyl y byddai'n gofyn am goffi. Ond na. 'Wisgi,' medde fe, 'un mawr.' Roedd e'n ei lawn haeddu.

Bryd arall rown i fod chwarae yn Llambed. Unwaith eto roedd hi'n eira mawr, a'r drymiwr, Dave Cadwallader, eisoes wedi mynd o'n blaen ni cyn i'r eira ddisgyn. Erbyn i ni gyrraedd Caerfyrddin roedd eira hyd yn oed yn yr injan a bu'n rhaid i ni stopio a dod 'nôl ar y trên gan adael Dave ar ei ben ei hun yn Llambed.

Roedd y band yn llawn cymeriadau. Dyna i chi Elwyn Davies o Gasllwchwr, a fu'n chwarae'r tenor sax yn y band o bryd i bryd. Roedd ei frawd Wil yn chwarae'r bas. Roedd Elwyn yn ddall, ac un dydd fe alwais i'w weld, i ddweud wrtho fod gyda ni gìg yn rhywle neu'i gilydd. Ei wraig a atebodd y drws, ac fe ddywedodd fod Elwyn mas y bac lle roedd 'na sŵn llif drydan, ac yno roedd Elwyn, yn ddyn dall, yn llifio blocs â llif gron.

Bechgyn cyffredin oedd yn y band, ond un cerddor o bwys a wnaeth ymuno â ni ar y llwyfan unwaith oedd y trombonydd George Chisolm. Roedd George, a anwyd yn Glasgow, yn glown yn ogystal â bod yn gerddor difrifol ac roedd ganddo wyneb doniol iawn. Fe wnaeth e ymuno â ni ar y llwyfan pan oedden ni'n perfformio yn yr Orendy ym Margam unwaith. Fe gychwynnodd ei yrfa gyda Cherddoriaeth Ddawns yr Awyrlu cyn sefydlu band y Squadronaires, band enwog iawn, yn fuan wedi'r rhyfel. Fe aeth e ymlaen wedyn i recordio gyda Fats Waller a Benny Carter. Roedd e'n aelod sefydlog o'r sioe deledu boblogaidd *The Black and White Minstrel Show*.

Rhaid cyfeirio hefyd at y canwr jazz George Melly, a ymsefydlodd ar lannau afon Wysg. Fe ymddangosodd e droeon ar yr un llwyfan â ni gan wisgo'n fflamboiant iawn yn null y gangsters yn America 'nôl yn y dauddegau a'r tridegau. Roedd e'n gymeriad lliwgar iawn a ymunodd â'r Llynges am y rheswm syml mai ganddyn nhw o'r holl luoedd arfog oedd y lifrai mwyaf deniadol! Fe gychwynnodd ganu yn null Vaudeville gyda Mick Mulligan a'i Magnolia Jazz Band a bu hefyd yn cydweithio gyda Wally Fawkes, dyn jazz arall, ar gartŵn Flook yn y *Daily Mail*. Ar ôl cyfnod oddi ar y llwyfan dychwelodd yn y saithdegau gyda John Chilton's Feetwarmers a band Digby Fairweather. Er ei fod e'n hoyw, fe briododd ddwywaith.

Fe wnaethon ni ymddangos ar yr un llwyfan â rhai o fandiau mawr y dydd. Yn eu plith roedd Johnny Dankworth, Ken Colyer, Acker Bilk, Chris Barber ac Alex Welsh, ynghyd â'r pianydd *blues* Champion Jack Dupree. Dyma'r cyfnod pan dorrodd y bandiau jazz traddodiadol i mewn i'r siartiau, ac fe fyddai llawer o'r bandiau hyn yn ymddangos yn Llanelli yn Neuadd y Farced. Yn anffodus fe arweiniodd hynny i'r bandiau a'u miwsig fynd yn rhy fasnachol. Dyna i chi Kenny Ball a 'Midnight in Moscow' ac Acker Bilk a 'Stranger on the Shore'. Nid caneuon jazz ond caneuon masnachol oedd y rhain ac roedd y bandiau, felly, yn puteinio'u dawn. Roedd Ball a Bilk yn gerddorion rhy dda i hynny. Eto i gyd, roedd yn rhaid i'r bechgyn hyn wneud bywoliaeth ac, yn anffodus, am berfformio a recordio caneuon fel y rhain y mae pobol yn cofio'r bandiau hynny yn hytrach nag am eu clasuron traddodiadol. Eithriad oedd 'Petit Fleur' gan y clarinetydd Monty Sunshine gyda band Chris Barber. Roedd y gân honno, wedi ei chyfansoddi gan Sidney Bechet, yn glasur ac yn haeddu pob llwyddiant a gafodd hi.

Roedd troi at jazz poblogaidd yn fendith ac yn felltith. Y fendith oedd bod y tonau poblogaidd yn denu canlynwyr newydd i jazz a'r felltith oedd bod jazz yn cael ei lastwreiddio a'i droi'n fiwsig pop, a hynny'n gwneud i'r canlynwyr go iawn waredu. Mae'r un peth yn wir am Louis Armstrong a'r cewri eraill. Gofynnwch i rywun ar y stryd enwi rhai o ganeuon Louis a'r ateb gewch chi yw 'Hello Dolly' a 'Wonderful World'. Y gwir amdani yw mai'r rheiny yw ei ganeuon gwaethaf, ond y rhain oedd yn boblogaidd gan bobol yn gyffredinol. Rwy'n siŵr mai yn groes i'r graen y gwnaeth Louis eu chwarae nhw a'u recordio.

Ond Harry oedd y prif ysgogwr o hyd ac mae'n drueni ei fod e wedi cael ei anghofio, i bob pwrpas, yng Nghymru. Fe ges i lawer o wybodaeth amdano gan ei fam, Jane: fe'i ganwyd e yn 1912 a'i enwi yn Owen Henry, yr enw Henry ar ôl ei dad, a oedd yn gweithio ar y rheilffordd. Ef oedd yr hynaf o bump o blant gan fynd i Ysgol Glanadda ac yna i'r Ysgol Ganolig. Ar ei adroddiad ar ddiwedd un tymor fe nododd y prifathro y byddai Harry yn gerddor mawr iawn. Fe adawodd e'r ysgol i weithio fel technegydd offer yn yr Adran Ffiseg yn y Brifysgol ym Mangor ond roedd e wedi ymuno â band pres yn lleol pan oedd e'n ddeuddeg oed ac roedd e'n aelod o Gôr Eglwys y Santes Fair. Yn ifanc iawn fe ddaeth e'n feistr ar nifer o offerynnau cerdd, y corn tenor, y corn fflagela, y cornet, y ffidil a'r drwms. Yn ôl ei fam, roedd e'n cadw cymaint o sŵn ar y drymiau fel y bu'n rhaid i'r teulu symud tŷ ac ar ôl symud fe fyddai e'n ymarfer ar y mynydd ger Coleg y Santes Fair. Yna fe aeth e ymlaen i feistroli'r sacsoffon er mai fel clarinetydd y gwnaeth e'r argraff fwyaf. Fe'i hyfforddwyd e gan Francis Jones o'r Felinheli. Dechreuodd berfformio yn Neuadd Powys, Bangor, ac yn Llandudno yng Nghaffi Paynes ym mand Eddie Shaw. Yna, ar ôl cael ei ddarganfod gan Percival Mackey, fe aeth i Lundain i chwarae yn y Potomac Club, lle roedd ganddo fe bumawd yn cynnwys George Shearing, pianydd dall.

Drwy raglen radio Harry Parry y clywais i gyntaf am Scott Joplin, cyfansoddwr nifer o glasuron yn cynnwys 'The Entertainer'. Fe gymerodd hi tan rhyddhau'r ffilm enwog honno yn 1973 cyn i'r byd ddod i werthfawrogi Joplin. Nodau agoriadol 'The Entertainer' yw'r nodau sy'n canu ar fy ffôn poced i. Fe glywyd Harry gan rywun o'r BBC a gofynnwyd iddo gan Charles Chilton gychwyn ei fand ei hun, ac fe awgrymodd hwnnw wrtho y dylai droi at y fibraffon. Fe ymddangosodd am y tro cyntaf ar y *Radio Rhythm Club* gyda'i chwechawd ei hunan ar 28 Medi 1940 ac fe ymddangosodd yn rheolaidd hefyd ar *Anything Goes*.

Fe ddaeth Harry a'i fand i chwarae yn Abertawe ym mis Chwefror 1943 ac fe yrrodd Alwyn fi draw i'w weld pan oeddwn yn bymtheg oed. Fe ges i lofnodau Harry a'r band – Sam Molyneaux ar y bas, Dave Wilkins ar y trymped, Ken Oldham, tenor, Joe Denzig, gitâr, Sid Raymond, drymiau, a Yorke de Souza ar y piano. Pan es i at ddrws y llwyfan i siarad â Harry fe holodd, 'O ble chi'n dod?' Finne'n ateb 'Llanelli' ac yn canu 'Sosban Fach' iddo fe. Roedd e wrth ei fodd. Roedd dau o'i fand, Dave Wilkins a Yorke de Souza, yn gyn-aelodau o fand Ken 'Snake-hips' Johnson o'r Caribî. Roedd y band wedi chwarae yn y Café de Paris yn Llundain ym mis Medi 1941. Roedd y caffi o dan sinema ac fe ddisgynnodd bom ar yr adeilad a lladd 'Snake-hips' a rhai o'r lleill a nifer o'r gynulleidfa. Gwahoddodd Harry'r ddau a oroesodd i ymuno â'i fand ei hun. Band Harry, felly, oedd un o'r bandiau gwyn cyntaf erioed i gyflogi offerynwyr du. Hanner canrif yn ddiweddarach fe gwrddais i â de Souza mewn gìg yn Llundain; dim ond ef oedd yno a doedd neb yn gwybod amdano. Fe dreuliais i'r noson yn ei gwmni.

Fe ddatblygodd Harry Parry sain wedi ei seilio ar arddull Artie Shaw neu Benny Goodman a dyna braf oedd cael clywed cerddoriaeth ffres fel hyn, alawon fel 'Rock it Out' a 'Potomac Jump'. Yn wir, hon yn 1942 oedd record gyntaf Harry i fi ei phrynu erioed. Ei arwyddgan e oedd 'Champagne'. Roedd e'n wahanol i stwff bandiau dawns y dydd ac ef wnaeth agor drysau jazz i fi drwy gyflwyno ar ei raglenni radio gewri fel Louis Armstrong, Bix Beiderbeck a James B Johnston. Câi ei ystyried, gyda Frankie Weir a Carl Barriteau, fel y gorau yn y byd a chadarnhawyd hynny yn yr *Evening Standard* mewn teyrnged wedi iddo farw.

Adeg y rhyfel teithiodd Harry yn eang gan chwarae i'r milwyr yn y Dwyrain Canol, yn cynnwys yr Aifft. Yn drist iawn, lladdwyd brawd iddo, Tommy, yn y rhyfel ym mrwydr Monte Cassino. Ar ôl y rhyfel fe sefydlodd gerddorfa barhaol yn y Potomac Club yn Llundain a daeth ei gyfansoddiadau 'Parry Opus', 'Thrust and Parry', 'Potomac Jump', 'Blue for Eight' a 'Says You' yn boblogaidd iawn. Y mwyaf poblogaidd, hwyrach, oedd 'Champagne'. Ymddangosodd mewn pump o ffilmiau a châi ei adnabod fel Brenin Jazz Prydain gan berfformio mewn neuaddau ar hyd a lled Prydain fel yr Hippodrome yn Birmingham, yr Empire yn Woolwich, a'r Empire yn Glasgow.

Un o edmygwyr mwyaf Harry Parry oedd Spike Milligan. Roedd

Spike ei hun yn drympedwr jazz nes iddo gael problem gyda'i wefusau. Trodd wedyn at y gitâr gan chwarae gyda thriawd Bill Hall. Roedd Spike yn casáu jazz modern, ac fe ddywedodd mewn cyfweliad a wnaeth yn Awstralia yn 1970 gymaint oedd ei ddadrithiad gyda'r arddulliau modern adeg y rhyfel yn y *Number One Rhythm Club*. 'Fe ddaeth Harry Parry'r clarinetydd lawr un wythnos,' meddai, 'ac roedd hynny fel ymweliad gan un o'r duwiau.'

Fe barhaodd Harry i chwarae yn y Potomac gydol y bomio. Ond pan fomiwyd y St Regis Hotel, lle roedd e hefyd yn ymddangos, fe fu'n rhaid iddo weithio mewn ffatri am flwyddyn cyn iddo ailffurfio'i chwechawd wedi'r rhyfel. Rhaid cyfeirio at ddigwyddiad yn y Stoll Theatre yn 1941 pan gynhaliwyd yr hyn a alwyd 'The First English Public Jam Session'. Recordiwyd y sesiwn ac mae'r record gen i gyda Harry Parry a'i Chwechawd yn chwarae 'Honeysuckle Rose' ac 'I Found a New Baby', sydd ar yr ochr arall. Mae'r rhain yn glasuron.

Roedd Harry, yn anffodus, yn dioddef yn ddrwg o'r fogfa ac fe symudodd i India am gyfnod er mwyn mwynhau gwell hinsawdd. Fodd bynnag, newidiodd sefyllfa jazz ar yr adeg anghywir iddo. Erbyn diwedd y pedwardegau, calon y byd jazz oedd Minton's yn Efrog Newydd ac oddi yno yr ymledodd jazz mwy modern, a gafodd ei enwi ar y dechrau fel 'bebop'. Roedd tempo uchel i bebop gyda'r chwarae byrfyfyr wedi ei seilio ar strwythur harmonig yn hytrach nag ar y melodi. Fe fyddai'r miwsig yn troi o gwmpas sax neu ddwy, trymped, bas, drymiau a phiano gyda gitâr a ffidil weithiau'n ychwanegol ac fe gafodd y math yma ar jazz ym Minton's ddylanwad ar lawer o'r bandiau traddodiadol. Yno y daeth Charlie Parker a Tubby Hayes yn enwog. Gwelwyd hefyd newid yng nghynnwys rhaglen *Jazz Club* y BBC a bellach byddai hanner awr o jazz traddodiadol a chwarter awr o jazz modern. Ar yr un pryd symudodd rhai bandiau jazz traddodiadol tuag at y byd pop. Yn anffodus fe fu farw Harry jyst cyn i jazz gyrraedd y siartiau. Wedi iddo farw fe es i draw i Gaellepa i weld ei fam a'i frawd a'i chwaer, a chwaer arall iddo, Eunice, ym Middlesex. Teulu o Gymry Cymraeg oedden nhw ac enw tŷ Eunice yn Lloegr oedd Sŵn y Gwynt.

Roedd i rai o donau cynnar Harry deitlau Cymraeg neu rannol Gymraeg fel 'Dim Blues'. Fe aeth ei enw'n gyfarwydd drwy wledydd Prydain a dechreuodd gynnal cyngherddau mewn lleoliadau fel y Locarno, y St Regis Hotel a'r Jigs Club yn Llundain gan berfformio gyda cherddorion fel Michael Flome, Louis Levy, Percival Mackey a Charles Shadwell. Fe wnaeth Dill Jones chwarae gydag e hefyd. Yna fe ymunodd â'r pianydd dall George Shearing a'r drymiwr Ben Edwards mewn triawd a ddaeth yn amlwg iawn. Ond ei chwechawd oedd fwyaf amlwg, gyda Joe Temperley ar y sacsoffon a cherddorion fel Tommy Pollard, Lauderic Caton ar y gitâr a Dave Wilkins, a chyhoeddwyd record ganddyn nhw yn y gyfres 'Super Rhythm' i gwmni *Parlophone*. Bu'n recordio i'r cwmni wedyn am ddeng mlynedd gan gynhyrchu dros gant o recordiau. Ymhlith y clasuron ar y recordiau roedd 'I've Got You Under My Skin' gyda'i wythawd a 'Moon Indigo' a 'Night and Day' gyda Dorothy Baronne yn canu.

Erbyn diwedd ei yrfa roedd Harry wedi troi at sefydlu band mawr fel un Glenn Miller ac yn ymddangos ar y teledu ar raglenni sêr fel Eamonn Andrews. Bu am gyfnod yn cyflwyno'r rhaglen radio *Houswives' Choice* a bu'n amlwg ar y rhaglen blant *Crackerjack*. Fodd bynnag, oherwydd ei deithiau tramor a'i gyfnod yn India, collodd lawer o'i boblogrwydd er ei fod e ar fin dod 'nôl yn enw mawr pan fu farw yn 1956. Fe fu'n briod ddwywaith, â Gwen Davies a Jessie Bradbury, a oedd yn gantores, ond methodd ei ddwy briodas. Doedd ganddo ddim plant, ac wedi iddo farw yn ei stafell yn Adam's Row yn Llundain fe gladdwyd ei lwch yn amlosgfa Golders Green. Fe'i hystyrid ef a Hugh Wheldon fel dau o fechgyn mwyaf disglair Bangor yn eu cyfnod ac mae yna archif iddo yn Llyfrgell y Brifysgol ym Mangor. Ac o'r diwedd mae plac ar wal ei dŷ.

Harry oedd y dylanwad mawr ar ein band ni yn Llanelli. Ond dim ond rhan o'r sîn oedden ni, wrth gwrs, ac roedd yno gyngherddau at ddant pawb. Rwy'n cofio i hyd yn oed Syr Adrian Boult berfformio yn Neuadd y Farced. Y Farchnad Fenyn, fel y câi ei galw, oedd yno yn ystod y dydd ond yma fe gâi'r lle ei glirio ar gyfer perfformiadau gyda'r nos. Byddai Cymanfa Ganu'r Ysgol Sul, ymhlith digwyddiadau eraill, yn cael eu cynnal yno hefyd. Doedd yno ddim llwyfan parhaol, ond fe gâi llwyfan dros dro ei adeiladu o blanciau a gâi eu benthyca oddi wrth adeiladwr lleol. Yn dilyn cyngerdd Syr Adrian a Cherddorfa Symffonig Llundain, rwy'n cofio rhyw Gynghorydd lleol yn talu'r diolchiadau. Medde fe, 'Well, ladies and gentlemen it gives me great pleasure to thank, first of all, Mr Boult. Thank you very much, Mr Boult, for bringing your band along. And thank you all in the audience for coming here tonight to this lovely concert. And before I finish, I would like to thank Isaac Jones for the loan of the planks.'

Nid y clwb jazz oedd yr unig glwb i fi ei sefydlu. Fe wnes i hefyd sefydlu Clwb Hoci Llanelli a bydden ni'n teithio lan i Aberystwyth i chwarae yn erbyn tîm y Brifysgol, a chael cosfa yno fel arfer, a'r un peth yn erbyn Prifysgol Caerdydd. Draw i Hwlffordd wedyn, ac ennill weithiau.

Yn dilyn fy nghyfnod yn Loughborough fe wnes i dderbyn swydd pennaeth, fel y dywedais ynghynt, yng Nghanolfan Addysg Pontyberem. Gan fod Neil nawr yn byw gartre gyda Mam, roedd hyn yn gyfleus iawn gan fy mod i hefyd bellach yn medru byw gartre gydag e a theithio i'r gwaith bob dydd. Ac ym Mhontyberem y bues i tan 1957.

Yn ystod y cyfnod hwn fe ges i gyfle i weld sut oedd yr Almaenwyr wedi dioddef yn y rhyfel pan euthum mas i'r Almaen ar ymweliad cyfnewid gyda chriw o gerddorion; yn eu plith roedd Archie Clarke, pianydd a oedd hefyd yn chwarae'r organ a'r acordeon. Roedd criw o blant Almaenaidd eisoes wedi bod draw ym Mhontyberem a nawr roedd criw o blant o'n hardal ni yn mynd draw i'r Almaen a ninnau gyda nhw. Roedden ni'n aros yng nghartrefi pobol leol ac fe roddwyd fi i letya gyda chyn-gadlywydd llongau tanfor yr Almaen, gŵr o gryn ddylanwad. Er i'w long danfor gael ei dal a'i dinistrio gan longau'r Llynges Brydeinig, ac yntau wedi bod yn garcharor rhyfel, cefais gloc ganddo'n bresant. Gyda'r cloc roedd nodyn personol oddi wrtho i swyddogion y tollau yn dweud wrthyn nhw am ganiatáu i fi fynd drwodd â'r cloc. A dyna ddysgu y gall cyn-elynion ddod yn ffrindiau. Roedden ni wedi trefnu chwarae mewn cyngerdd draw yna, ond ddaeth neb i wrando arnom ni. Iddyn nhw, ni oedd y gelyn. Wrth yrru drwy Hambwrg gwelem un ochr i'r ddinas yn gwbl wastad wedi'r bomio a'r adeiladau ar yr ochr arall i'r ffordd yn furddunnod wedi i'r Rwsiaid oresgyn y lle a'i falu.

O 1957 hyd 1966 bum yn dysgu yng Ngholeg Addysg Bellach Gorseinon fel darlithydd mewn peirianneg. Yno roedd y cwricwlwm wedi ei seilio ar anghenion diwydiannol. Byddwn yn mynd â phrentisiaid glofaol i arddangosfeydd celf. Byddwn hefyd yn trefnu arddangosfeydd yn y coleg. Yn y cyfamser roedd y band yn dal i berfformio. Yna, yn 1966, daeth cyfle da a'i gwnaeth yn bosibl i fi gyfuno addysg a jazz. Cefais fy mhenodi'n Warden Canolfan Addysg

Gymunedol y Pwll gan Bwyllgor Addysg Sir Gaerfyrddin. Roedd yno neuadd a llwyfan, ac un o'r pethe cynta wnes i oedd ychwanegu at yr adnoddau fel y byddai'n bosib cynnal cyngherddau yno a chan fod y Band Jazz Celtaidd yn dal i berfformio, fe wnaethon ni gymryd mantais o'r Ganolfan.

Rown i hefyd yn cynnal dosbarthiadau crefft yng Nghanolfan Addysg Glan-y-fferi, ac fe wnes i ychwanegu gweithdai jazz i'r cwricwlwm ac ehangwyd hyn wedyn i gyrsiau penwythnos gan gyrraedd uchafbwynt drwy gynnal cyngherddau ar ddiwedd y cyrsiau yn y Pwll. Fe wnes i drefnu cynllun tocynnau a olygai y byddai'n bosibl i'r mynychwyr fwynhau caws a gwin wrth gwblhau eu cyrsiau. I bob pwrpas, felly, roedd Clwb Jazz Llanelli yn ôl ar ei newydd wedd a bonws mawr i fi, drwy fy nghysylltiadau jazz, oedd llwyddo i ddenu Dill Jones a Clyde Bernhardt, cyn-drombonydd band Jelly Roll Morton o ugeiniau'r ganrif ddiwethaf, i berfformio yno. Oedd, roedd y byd addysg a'r byd jazz wedi cyfuno.

Y Band Jazz Celtaidd 'nôl yn y chwedegau, Stafford Bowen ar y bas,
Brian Evans (piano), fi (bas), Peter Owen (trymped),
Dave Cadwallader (drymiau) a Joe Pearce (trombôn)

Y Band Jazz Celtaidd yn y Drill Hall, Llanelli, yn Ebrill 1963,
Brian Evans (piano), Doug Evans (bâs), fi, Mario Lupi (drymiau),
Peter Owen (trymped), Mervyn Lodwick (trombôn) a Gareth Evans (gitâr)

Pennod 4

Os mai Harry Parry oedd fy arwr a'm mentor, fy ffrind gorau ym myd jazz – yn broffesiynol ac yn gymdeithasol – oedd Dill Jones. Roedd ein llwybrau ni wedi croesi yn 1945, er na wydden ni hynny ar y pryd. Pan anfonwyd fi i Skegness, fe alwodd Dill yno – yntau wedi ymuno â'r Llynges – ar ei ffordd i Ceylon, neu Sri Lanka heddiw. Ond fe âi blynyddoedd heibio cyn i ni gwrdd o ddifrif. Un mlynedd ar ddeg, i fod yn fanwl.

Cyn mynd ymlaen i sôn am y cyfeillgarwch rhwng Dill a finne, cystal fyddai sôn ychydig am ei gefndir. Yng Nghastellnewydd Emlyn y'i ganwyd e ar 19 Awst 1923, a'i enwi yn Dillwyn Owen Paton Jones, enw crand ar fachan mor ddiymffrost. Ond fel mab i reolwr banc, fe symudodd e gyda'r teulu gryn dipyn ac fe godwyd Dill yn Nhalgarth a Llanymddyfri, ef a'i chwaer Barbara. Gyda chwmni *Barclays* y gweithiai ei dad, Islwyn, bachan o'r Cei Newydd, lle roedd ei dad ef, D O Jones, yn weinidog. Fe ddatblygodd D O Jones wedyn i fod yn ffotograffydd llwyddiannus iawn ac mae lluniau a dynnodd e o'r Cei i'w canfod o hyd.

Y Cei fu cartref ysbrydol Dill gydol ei oes. Yno y byddai e a'i rieni'n mynd ar wyliau'n rheolaidd pan oedd e'n blentyn. Ac yno, pan oedd e'n ddyn, y byddai e'n ffoi pan fyddai hiraeth yn ei lethu yn America. Roedd ei fam, Lavinia, yn bianyddes fedrus, a hi ac athro o Landeilo, Emlyn Evans, oedd ei hyfforddwyr cynnar. Fe ddatblygodd e'n gynnar, ac mae'n debyg ei fod e'n medru chwarae gwaith Arthur Rubinstein yn saith oed.

Yn Llanymddyfri roedd cartref Dill, sef Bank House a safai rhwng dau gapel ac mae gen i deimlad fod yr emynau a glywai mor rheolaidd wedi dylanwadu arno a'i droi at jazz. I fi, mae emyn-dôn fel 'Cwm Rhondda' yn debyg iawn i alaw *blues* y negro. Yn wir, fe ddwedodd Dill ei hun fod hwyl y Cymry yn debyg iawn i *soul* y bobl dduon, ac fe awgrymodd fwy nag unwaith i'r emynau a glywodd yn blentyn gael dylanwad pendant arno. Roedd e'n gyfarwydd iawn hefyd â'r cymanfaoedd canu yn y Cei Newydd lle roedd modryb iddo, Isawel Jones, yn chwarae'r organ yng nghapel y Tabernacl ac yn darparu gwersi piano yn ei chartref yn Stryd y Parc. Fe fyddai hi hefyd yn rhoi gwersi i Dill ac roedd hi'n ffefryn mawr ganddo. Fe fyddai hi'n mynd ag e i'r capel ar ddydd Sul ond, mae'n debyg, gwnâi'r gwasanaeth iddo deimlo'n drist.

Elfen arall a ddylanwadodd arno oedd dyfodiad y glowyr, a fyddai'n draddodiadol yn treulio'u gwyliau haf yn y Cei gan ymgynnull ar y pier i ganu fin nos. A'r môr, wrth gwrs. Roedd hwnnw'n ddylanwad mawr ar ei gymeriad a'i fiwsig ac mae rhythmau a sŵn a swyn y môr yn ei waith. Roedd e'n ddisgynnydd i forwyr a chapteiniaid llong, ac yn y môr – ac arno mewn cwch – y treuliai hafau ei wyliau. Doedd dim rhyfedd mai i'r Llynges yr aeth e pan ddaeth yn amser iddo ddewis pa adran o'r lluoedd arfog i'w gwasanaethu yn 1942. Yn ddiweddarach, bu'n perfformio ar long deithio ar draws Môr Iwerydd.

Doedd Dill ddim yn wleidyddol o ran plaid. Ond fe ddisgrifiodd rhywun e unwaith fel sosialydd a oedd hefyd yn genedlaetholwr Cymreig. Fy hunan, fe fyddwn i'n ei ddisgrifio fel cenedlaetholwr o Gymro a oedd hefyd yn sosialydd. Roedd e'n ffyrnigo weithiau pan fyddai e'n troi at faterion cenedlaethol ac yn meddwl fod Cymru'n cael cam. A phan aeth e'n ddisgybl dyddiol i Goleg Llanymddyfri, mae gen i deimlad mai yn groes i'r graen yr aeth e i dderbyn ei addysg mewn lle a ystyrid fel ysgol fonedd. Er hynny, llwyddodd i gyflawni dymuniad ei rieni. Yn y coleg fe lwyddodd i ennill ei dystysgrif ac fe enillodd hefyd dystysgrifau mewn Lladin ac arholiad y Corff Hyfforddi Swyddogion Milwrol. Ond, yn bwysicach fyth, yn ôl ei chwaer Barbara, sy'n dal i fyw yn y Cei, yno y cychwynnodd ei ddiddordeb mewn jazz. Rwy'n gyfarwydd iawn â hi ac wedi treulio oriau yn siarad â hi am Dill. Fe briododd hi â'r pianydd cyngerdd dawnus Leonard Cassini. Yn ôl Barbara, unwaith y gwnaeth e basio'r arholiadau angenrheidiol yn Llanymddyfri, jazz oedd y cyfan, a hwnnw'n jazz o safon uchel. Pan fyddai ei ffrindiau'n galw, meddai Barbara, fe fydden nhw'n crynhoi o gwmpas y piano a Dill yn chwarae mor gartrefol â phe bai wedi bod yno o'i enedigaeth. O'r dechrau, medde hi, roedd ei harmoneiddio a'i drawiad e'n berffaith, canlyniad ymarfer dyfal a hir.

Roedd Dill yn siario'r syniad bod y Cymry'n cymryd at fiwsig yn naturiol ond doedd e ddim yn teimlo bod ganddon ni deimlad naturiol at rythmau. Doedd e ddim yn credu bod rhythmau yn gynhenid i ni fel yr oedden nhw i'r bobl dduon. Ac yn y dyddiau cynnar hynny teimlai'n unig iawn am nad oedd ganddo neb a fedrai

siario'i gariad at jazz. Yn y coleg doedd gan y staff fawr o frwdfrydedd
i rannu ei ddiddordeb a doedd yna ddim, mewn gwirionedd, adran
gerdd. A phan welodd y prifathro Dill wrth y piano'n chwarae jazz, ei
ymateb oedd siglo'i ben a rhybuddio, 'Ddaw dim daioni byth o hwn.'
Ar brynhawniau Mercher, a'r bechgyn eraill allan yn chwarae rygbi,
fe fyddai Dill yn treulio'r amser yn chwarae'r piano. Yr unig
weithgaredd o ran chwaraeon roedd e'n ei hoffi oedd bocsio, ac
roedd e'n focsiwr da. Hyd y diwedd, fe fyddai e'n reddfol yn codi ei
fawd at ei drwyn yn null bocsiwr.

Erbyn hyn roedd Dill wedi ei rwydo'n llwyr gan jazz ac wedi dod
o dan ddylanwad Thomas 'Fats' Waller, wedi iddo'i glywed ar rai o
raglenni jazz prin y radio. Fe fu Fats ar daith ym Mhrydain yn 1938,
gan dreulio wythnos yn yr Empire yn Abertawe. Ond dim ond
pymtheg oed oedd Dill ar y pryd felly aeth e ddim yno. Heb
amheuaeth, Fats oedd y dylanwad mawr arno. Ef oedd meistr y dull
stride ac fe gyfansoddodd glasuron fel 'Honeysuckle Rose' ac 'Aint
Misbehavin'. Mae'r hanesion amdano'n lleng. Roedd e'n yfwr ac yn
ferchetwr mawr ac yn 1926 fe'i herwgipiwyd gan ddynion y gangster
Al Capone. Ond doedd dim byd yn sinistr yn y digwyddiad. Fe'i
cludwyd i un o bartïon Capone, ac yno y bu'n chwarae'r piano ac yn
canu i Capone am dridiau. Bu farw hwnnw'n 29 mlwydd oed.

Fe adawodd Dill y coleg yn bedair ar ddeg oed a mynd i weithio
fel clerc yn y banc, ond buan y sylweddolodd e nad oedd clercio a
jazz yn cydweddu. 'Does dim pwrpas,' medde fe, 'ceisio tafoli'r llyfrau
cownt pan fo cytgan Bud Freeman ar "The Eel" yn mynd drwy'ch
pen.' Fe adawodd i ymuno â'r Llynges yn 1942 gan hwylio am
isgyfandir India yn 1945. Fel finne, fe dreuliodd gyfnod yn
Portsmouth lle derbyniodd wersi piano gan y pianydd dall Bill Cole.
Ac eto fel yn fy hanes innau, fe wnaeth bywyd yn y Llynges ehangu
profiad Dill o ran y byd mawr y tu allan ac o ran datblygu ei chwaeth
mewn miwsig. Yn Sri Lanka fe gwrddodd â Lennie Felix, a bu'r
ddau'n chwarae gyda'i gilydd ar rwydwaith radio Lluoedd Arfog
Prydain.

Pan ddychwelodd i Chatham yn gynnar yn 1946 fe aeth i chwarae
yng nghlwb jazz y Red Barn yn Barnehurst ac mewn clybiau eraill a
thafarndai. Weithiau, fe wnâi e chwarae deuawd gyda Cyril Ellis ar y
trymped a'r ddau'n cael eu hadnabod fel Dai a Cy. Yna fe ymunodd
â band o'r enw The Melody Mariners o Peterborough ac yno y

cyfarfu â darpar sêr y byd jazz, yn cynnwys Tommy Whittle, Alan McDonald, Arthur Greenslade a Ronnie Verrell.

Ar ddiwedd ei wasanaeth milwrol fe aeth Dill 'nôl i weithio mewn banc yn San Steffan yn Llundain gan berfformio gyda'r nos yng nghlybiau Llundain, a dechrau cyfrannu i *Radio Rhythm Club* y BBC. Yna, fe lwyddodd e i ennill grant i fynd i Goleg Cerdd y Drindod yn Llundain lle bu'n astudio'r piano a'r organ. Ond doedd obsesiwn Dill â jazz ddim yn plesio'i diwtoriaid. Yn union fel y gwnâi yng Ngholeg Llanymddyfri, roedd e wrthi un prynhawn yn chwarae'r piano, a chriw o fyfyrwyr wedi dod at ei gilydd i wrando arno. Pan ganfu un o'r darlithwyr e'n chwarae 'Saint Louis Blues', yn hytrach na rhyw ddarn clasurol, fe wylltiodd gan ofyn, 'Beth yw'r miwsig hwn?' A Dill yn ateb, 'Un o ganeuon W C Handy.' A dyma hithau'n ateb, 'Allwn ni ddim cael miwsig fel hyn mewn lle fel hwn.' Fe gafodd Dill lond bol ar bethe ac fe atebodd, 'Wel, os hynny, allwch chi ddim fy nghael inne yma chwaith.' Fe gaeodd glawr y piano'n glep ac fe adawodd.

Ond ni fu ei gyfnod yn y coleg yn wastraff. Ym mhrifddinas Lloegr fe ddarganfu fiwsig Louis Armstrong ac Earl Hines, Lester Young a Jess Stacey ond fe fyddai'n cydnabod hefyd ei ddyled i gyfansoddwyr clasurol fel Ravel, Debussy, Beethoven, Mozart a Poulenc. Ond wrth iddo fynd yn hŷn, y cerddor jazz a hoffai fwyaf oedd y cornetydd a'r pianydd Bix Beiderbecke o Davenport, Iowa, a fu farw'n ddyn ifanc. Fe recordiodd Dill deyrnged iddo gan alw'r record yn *Davenport Blues*. Mae hanes Bix yn un trist iawn. Roedd e'n fyfyriwr disglair pan benderfynodd adael y cwbwl er mwyn chwarae'r piano a'r cornet, a'i dad yn ffyrnig yn erbyn ei benderfyniad. Dechreuodd Bix yfed yn drwm, a phan aeth adre i wella, torrodd ei galon. Roedd y recordiau ohono a oedd wedi eu hanfon at ei rieni dros y blynyddoedd yn gorwedd ar silff heb hyd yn oed eu hagor. Bu farw o alcoholiaeth yn 31 oed.

Fe gychwynnodd Dill ar ei yrfa jazz go iawn ym mis Mai 1947 gyda Humphrey Lyttleton, meistr ar y trymped a'r clarinét, a Carlo Krahmer, drymiwr aeth ymlaen i sefydlu cwmni recordiau Esquire. Perfformiodd Dill yng ngŵyl jazz gyntaf Nice yn 1948 lle gwnaeth perfformiad gan Louis Armstrong beri iddo grio. Roedd e'n medru bod yn emosiynol. Yno hefyd gwahoddwyd ef i chwarae gyda Jack Teagarden ac fe wnaeth berfformio 'Caution Blues' i Earl Hines. Y flwyddyn wedyn, perfformiodd yng Ngŵyl Paris gyda Cherddorfa

Vic Lewis lle gwefreiddiwyd ef gan berfformiad Charlie Parker. Yn ystod y cyfnod ar ôl gadael y coleg ymunodd â Harry Parry gan deithio yn yr Iseldiroedd a'r Dwyrain Canol a gyda band Harry y recordiodd, ym mis Hydref 1949, 'I've Got You Under my Skin' a 'Blue Acara'.

Yn 1949 ymunodd Dill â *Jazz Club* y BBC gan gyflwyno'r rhaglen ar y radio a'r teledu gydol y pumdegau. Gwahoddwyd ef a bechgyn fel Ronnie Scott wedyn i berfformio ar fwrdd y *Queen Mary* ar fordeithiau o Southampton i Efrog Newydd ac yn ôl, gan ymuno mewn pedwarawd. Roedd hi'n fordaith o bum diwrnod un ffordd. Doedd y tâl ddim yn dda ond roedd e'n cael ei fwyd a lle cysurus i gysgu. Beth arall roedd ei angen arno? Ond y bonws mawr oedd y câi, ar bob taith, dreulio dau ddiwrnod yn Efrog Newydd tra byddai'r llong wrth angor ger 52nd Street. Yn y ddinas byddai'n ymweld â'r gwahanol glybiau jazz, yn arbennig glwb Eddie Condon, lle byddai'n cael gwahoddiad yn rheolaidd i berfformio. Nawr roedd e'n medru mwynhau yn fyw berfformiadau pianyddion nad oedd ond yn enwau iddo cyn hynny ac yno y gwelodd, am y tro cyntaf, Coleman Hawkins, y cyntaf erioed i ddefnyddio'r tenor sax ar gyfer jazz. Daliodd ar y cyfle hefyd i gael gwersi gyda Lennie Tristano, pianydd o Chicago a gâi ei ystyried yn berfformiwr *avant-garde* ac yn arloeswr mewn arddull jazz cŵl, be-bop ac ôl-bop ac un a oedd yn gwylltio'r puryddion.

Pan ymddeolodd Islwyn Jones o'r banc yn 1955 a symud gyda Lavinia i'r Cei Newydd, dyna gychwyn ymweliadau rheolaidd â'r Cei gan Dill. Yn Llundain fe symudodd i fflat yn Westbourne Terrace ger gorsaf drenau Paddington er mwyn hwylustod dal y trên adre i Gymru bob cyfle y medrai. Rhannai'r fflat â Tony Kinsey, drymiwr a chyfansoddwr a aeth ymlaen i sefydlu Seithawd Johnny Dankwarth. Ymunodd â grwp Kinsey a'i fwriad oedd dyrchafu jazz i lefel y cyngerdd gan y byddai hynny, yn ei dro, yn dyrchafu cerddoriaeth yn ogystal â'r offerynwyr oedd yn ei chwarae. Credai fod jazz yn bwysig fel celfyddyd yn gymdeithasol yn ogystal ag yn gerddorol ac fe'i gwelai fel yr unig gerddoriaeth werin gydwladol.

Yn 1953 y recordiodd ei albwm gyntaf fel unawdydd. Aeth ymlaen i recordio gyda Tony Kinsey a Tommy Whittle a phan adawodd Whittle ei bumawd yn 1955, sefydlodd Dill ei driawd ei hun gan recordio gyda Columbia a Polygon, a'r triawd hwn, ynghyd â band George Melly, oedd yr unig fandiau Prydeinig i berfformio yng Ngŵyl Jazz Beaulieu yn 1956. Chwaraeodd ar yr un llwyfan â Louis Armstrong yn y Royal Festival Hall hefyd mewn cyngerdd i godi arian at gynorthwyo Hwngari wedi i'r wlad herio'r Sofiet, ac fe gafodd gyfle i gwmnïa â Louis am dridiau yn ystod yr ymarferiadau. Fe wnaeth y ddau chwarae gosodiad Bernstein ar gyfer 'Saint Louis Blues' ynghyd â nifer o donau crefyddol a chaneuon a gysylltid â Louis.

Dyma'r cyfnod pan chwaraeodd Dill gyda fi am y tro cyntaf, yn nawns Clwb Hwylio'r Cei Newydd yn Llanybydder yn 1956, ac ychydig wnes i feddwl pa mor arwyddocaol fyddai'r cyfarfyddiad hwnnw. Er mai hwn oedd y tro cyntaf iddo fe chwarae gyda fi, rown i wedi ei weld e naw mlynedd yn gynharach pan wnaeth e ymddangos gyda Chwechawd Harry Parry. Yna, ar ddiwrnod y ddawns yn Llanybydder, fe alwais i yng nghartref ei rieni, Illrousse, yn y Cei Newydd, ac yno fe fuon ni'n sgwrsio am Harry ac am jazz yn gyffredinol. Y diwrnod hwnnw y dechreuodd ein cyfeillgarwch ni o ddifrif. Chwarae fel gwestai roedd Dill, ar grand piano y gwnes i ei hurio o Abertawe am £27. Yn rhyfedd iawn rwy'n cofio un peth yn glir am Neuadd Llanybydder o hyd – gwynt cryf y *Jeyes Fluid* yn y tŷ bach. Bob tro fydda i'n gwynto Jeyes Fluid, neuadd Llanybydder ddaw i'r cof. Arogl *chop suey* a *chow mein* sydd yna nawr a hen neuadd y Victory Hall yn fwyty Tsieineaidd.

Ond dyna i chi wyleidd-dra ar ran Dill. Bron yn union ar ôl chwarae yng Ngŵyl Jazz Beaulieu, dyma fe'n cytuno i chwarae gyda ni yn Llanybydder. Y gwyleidd-dra hwn a'i gwnaeth e mor hawdd ei dderbyn gan bawb; roedd e'n hoffi pobl, a phobol yn ei hoffi fe. I fi, un o'i rinweddau mawr oedd ei allu i groesi ffiniau. Fe allai groesi ffiniau gwahanol arddulliau jazz yn hawdd, gan droi o jazz i'r clasurol pryd y mynnai. Croesodd y ffiniau a wahanai'r du a'r gwyn wedyn, a chroesai'n rheolaidd y ffiniau daearyddol a chymdeithasol rhwng Llundain, America a Chymru. Ar ben y cyfan, roedd e'n gwmni da a allai sgwrsio â phawb yn ddiwahân. Os rhywbeth roedd e'n rhy hael, yn rhy barod i fynd i'w boced pan fyddai rhywun mewn angen, yn rhy barod i roi gwersi i ddarpar offerynwyr heb godi tâl. A phan fyddai e mewn band, fe fyddai'i chwarae ef yn codi ysbryd a safon ei gyd-offerynwyr; roedd e'n ysbrydoliaeth i bawb o'i gwmpas.

Yn y cyfamser aeth ymlaen â'i yrfa, a oedd yn mynd o nerth i nerth. Fe'i hetholwyd fel pianydd Prydeinig gorau'r flwyddyn bedair gwaith yn olynol gan y papur cerddorol dylanwadol y *Melody Maker*. Fe'i disgrifiwyd fel pianydd eclectig am ei allu i gyfuno dau fath ar jazz, y traddodiadol a'r brif ffrwd gan lwyddo, ar yr un pryd, i gynnwys idiomau modern, a hyn mewn cyfnod pan oedd jazz yn cael ei hollti gan bobl unllygeidiog a styfnig.

Aeth Dill ymlaen i ffurfio'i Dill Jones All Stars, y Dill Jones Orchestra a'r Dill Jones Dixieland All Stars. Fe achosodd yr All Stars gryn gynnwrf wrth i Dill a'i gyd-aelodau, Vick Ash ar y clarinét a Keith Christie ar y trombôn, chwarae jazz traddodiadol yn y Flamingo Club. Ond un felly oedd Dill. I lawer, cam yn ôl oedd hyn ond doedd Dill yn becso dim; roedd yn gas ganddo gael ei osod mewn rhyw fath ar gategori. Ond o ran recordiau, cyfnod hesb oedd hwn iddo, er iddo recordio albwm sy'n brin iawn erbyn hyn o'r enw *Jones the Jazz*. Yna, fe drodd am sbel at un o'i hoff ddiddordebau, un braidd yn annisgwyl, sef gleidio.

Rhywbeth a'i poenai'n fawr oedd absenoldeb offerynwyr duon mewn bandiau Prydeinig a fyddai'n closio at fandiau Ewrop tra oedd y duon yn glynu at *soul* a *gospel*. Roedd e erbyn hyn wedi cyfarfod â rhai o'r cewri duon yn Efrog Newydd, ac ym Mhrydain roedd e wedi cwrdd â Louis yn arbennig ac wedi recordio hefyd gyda Big Bill Broonzy a Joe Harriott. Roedd pobl fel Chris Barber hefyd wedi hybu jazz du gan ddenu offerynwyr fel Sonny Terry a Brownie McGee i glybiau Llundain.

Penderfynodd Dill wedyn droi ei olygon at America. Rhaid bod hwn wedi bod yn benderfyniad anodd i un a oedd yn gymaint Cymro ond ei reswm dros fynd, medde fe, oedd 'i ymchwilio i hwyl y duon'. Ar ben hyn, ni hoffai gynnydd roc a rôl a'r hyn a welai fel ei fygythiad i jazz ym Mhrydain. Teimlai hefyd fod mwy o gyfleoedd yn America. Ymfudodd yno ym mis Medi 1961 gan ymsefydlu yn Efrog Newydd ac fe fyddai'n ysgrifennu yn ddiffael ata i'n wythnosol. Mae'n rhaid gen i mai dyna un ffordd o geisio dod dros ei hiraeth. Er hynny, teimlai'n hapus wrth iddo ganfod pob mathau ar fiwsig ethnig y gallai eu dychmygu. Aeth i Harlem, crud jazz Efrog Newydd, i dderbyn hyfforddiant gan Luckey Roberts gan mai hwnnw, gyda James P Johnson oedd prif arbenigwr y dull *stride* o berfformio. Ef wnaeth gyfansoddi 'Junk Man Rag', 'Moonlight Cocktail', 'Pork and Beans' a 'Railroad Blues'. Barn Roberts oedd mai Dill oedd y pianydd gwyn gorau iddo'i glywed erioed ac roedd hynna'n ddweud mawr.

Roedd Roberts yn enwog am ei arddull bersonol o chwarae *stride*, arddull a ddefnyddid hefyd gan Fats Waller, gan ddefnyddio'i law chwith ymron fel effaith offeryn taro. Mae'n debyg y gallai llaw chwith Roberts ymestyn ar led dros bedair allwedd ar ddeg ar allweddfwrdd y piano. Aeth y stori ar led bod Roberts wedi cael llawfeddyg i hollti'r cnawd rhwng bysedd ei law chwith lawr hyd y migyrnau er mwyn ymestyn lled y llaw. Ond celwydd oedd hynny; roedd ganddo ddwylo mawr beth bynnag.

Pan gynhaliwyd Gŵyl Jazz Cymru am y tro cyntaf, yng Nghaerdydd yn 1978, fe gafwyd enghraifft dda o allu Dill fel pianydd *stride* gyda'i fersiwn o 'Shim-me-sha-Wabble'. Ond fe brofodd yn anodd i Dill dorri drwodd i chwarae gyda bandiau duon. Bodlonai ar chwarae yn Condons gyda cherddorion gwyn fel y trombonydd Jimmy McPartland, y trympedwr Yank Lawson a Max Kaminsky, trympedwr ac arweinydd ei fand ei hun. Roedd McPartland wedi bod gyda'r milwyr Americanaidd yn Sir Benfro yn 1943 fel rhan o baratoadau glaniadau D-Day.

Ond roedd gwaith yn brin, a bu Dill am gyfnod yn gwerthu recordiau ac yn diddanu'r prynwyr gan gynnig hefyd wersi ar y piano yn siop fawr Macy's. Byddai ef a thelynor yn chwarae deuawd fel 'Y Ddraig a'r Delyn'. Lletya yn Hotel Wales yn yr Upper East Side ger Central Park ar Madison Avenue a wnâi ar y pryd. Yna cafodd gryn hwb drwy gael gwahoddiad i chwarae gyda Phedwarawd Gene Krupa, drymiwr byd-enwog, o dras Pwylaidd ond wedi'i eni yn Chicago.

Ymwelodd â New Orleans, cartref ysbrydol jazz, ond ni lwyddodd i dorri drwodd i'r bandiau duon tan 1967 pan wahoddwyd ef i chwarae yng ngwyliau jazz Manassas, lle cafodd ei hun ochr yn ochr ag offerynwyr fel Bill Pemberton, Oliver Jackson, Bud Johnson a Clyde Bernhardt. Cyd-chwaraeodd gyda'r pianydd Willie 'The Lion' Smith ac fe'i gwahoddwyd i fod yn aelod o Bedwarawd JPJ yn lle Earl Hines i chwarae gyda Johnson, Jackson a Pemberton. Daethant yn fand sefydlog a chwarae ledled America ac Ewrop gan ymddangos yng Ngŵyl Montreaux yn 1971. Fe wnaethon nhw gynnal gweithdai jazz ar gyfer cyfanswm o 70,000 o blant mewn ysgolion ar draws America. Y siom fawr, serch hynny, oedd diffyg cytundeb gan gwmni recordiau.

Fe adawodd Dill y Pedwarawd JPJ yn 1973 gan berfformio, gan

mwyaf, am yr un flynedd ar ddeg nesaf fel unawdydd. Byddai'n dod draw'n flynyddol erbyn hyn ac yn awyddus iawn i fi fynd 'nôl gydag e ac, yn gynharach y flwyddyn honno, fe lwyddais i fynd. Dal awyren Aer Lingus o Heathrow i Shannon a draw i Efrog Newydd ac yna, yn y maes awyr, dal bws a wedyn tacsi i Hotel Wales. Doedd Dill ddim yno ond pan gyrhaeddais, y tu ôl i'r ddesg roedd allwedd ei stafell a nodyn yn dweud ei fod e allan yn chwarae gyda JPJ. Pan agorais i ddrws ei stafell roedd poster mawr ar y wal yn dweud 'Croeso i Efrog Newydd, Wyn bach' ac yn rhes o gwmpas y gwely roedd recordiau pob clarinetydd rown i'n ei hoffi.

Buan wnes i ddysgu'r hen wireb am faint anhygoel America. Un dydd dyma'r bobl oedd yn byw drws nesaf yn gofyn a hoffwn i fynd gyda nhw allan am ddiwrnod o bysgota. Gofynnais i Dill a fyddai arna i angen cot, tybed? Ychydig a wyddwn i eu bod nhw'n mynd â fi 129 milltir, at bwynt pellaf Long Island, sef Montauk Point.

Un tro fe deithiodd Dill a finne nôl o America gyda'n gilydd. Cyn dal yr awyren fe es i gydag e i stiwdio o'r enw Warehouse D lle gwnaeth e recordio tôn 'Up Jumped You With Love'. Rwy'n ein cofio ni'n cerdded fyny Oxford Street a Dill yn gweld o'n blaen ni ar y stryd botel laeth wedi ei gadael; gwnaeth e fôr a mynydd o'r peth gan ddweud fod hyn yn beryglus a'i chodi a'i gosod yn saff ar stepen drws gerllaw a rhegi pwy bynnag oedd wedi ei gadael yno. Roedd rhyw bethe bach fel'na yn medru ei boeni.

Fe symudodd wedyn o'r Hotel Wales i East Village yn East 12 Street, lle garw iawn ac roedd yna far y drws nesa yn cael ei redeg gan gymeriad o fenyw galed a gâi ei hadnabod fel Slugger Ann. Roedd bariau dros ffenestri pob adeilad ar y stryd a chloeon dwbwl cryfion ar bob drws. Fflat un stafell, gyda stafell ymolchi fach, oedd ganddo fe a'r cyfan yn y fflat oedd bwrdd a dwy gadair, gwely, piano, cwpwrdd ffeiliau metel a phob math o recordiau a pheiriannau i'w chwarae. Pan fyddwn i'n aros gydag e fe fyddai e'n rhoi ei wely i fi.

Ond doedd y bariau a'r cloeon ddim yn ddigon. Un diwrnod fe wnaethon ni adael y fflat gyda'n gilydd a phan ddaethon ni 'nôl roedd rhywun wedi torri mewn a dwyn popeth ond y piano a'r cwpwrdd ffeiliau metel. A dyma Dill yn gofyn i fi edrych yn ffeil 'M' a'r 'M' yn cyfeirio at *Money*. Yn ffodus roedd y dau gan dolar heb eu cyffwrdd. Ond y golled fwyaf i Dill oedd y recordiau. Roedd rhai yn amhrisiadwy ac eraill yn rhai personol iawn. Bryd arall, a finne yn y fflat ar fy mhen fy hunan, fe welais i fwg yn dod allan o ffenest y fflat drws nesaf. Wyddwn i ddim pwy oedd yn byw yno, ond roedd cloch y drws yn canu nos a dydd ac roedd yno lawer o fynd a dod. Sylwais mai ffynhonnell y mwg oedd llwyni sych yng nghefn yr adeilad ac es i draw a gwasgu'r gloch a gweiddi 'Tân! Tân!' Yna fe es i 'nôl fyny'r llofft ac edrych eto mas drwy'r ffenest a'r hyn welais i oedd nifer o ddynion a menywod yn rhedeg 'nôl ac ymlaen yn cario jygiau o ddŵr ac yn gwbl noeth. Yr hyn na wyddwn i oedd mai puteindy oedd yno!

Pan symudodd Dill allan o'r fflat, fe'i holynwyd ynddi gan bianydd rhyfeddol, Ram Ramirez, gŵr o Puerto Rico a drodd yn broffesiynol ac yntau ond yn 13eg oed. Fe fu e'n aelod o'r Harlem Blues and Jazz Band ac fe wnes i chwarae gydag e ar daith drwy Wlad Belg. Uchafbwynt ei yrfa fu cyfansoddi 'Lover Man', a recordiwyd gan Billie Holiday.

Fe fyddwn i'n chwarae gyda Dill yn achlysurol yn Efrog Newydd ac fe wnaethon ni ymddangos gyda'n gilydd am wythnos yn ystod un ymweliad mewn clwb o'r enw David Copperfield ar 1394 York Avenue ar 35th and Lexington. Byddai e'n chwarae llawer hefyd yn y Van Dyck yn Albany lle rwy'n cofio gweld Red Norvo yn chwarae a'r gantores Mildred Bailey hefyd yn canu. Yno roedd rhyw fenyw o'r enw Ardis Timmis, menyw gyfoethog iawn a'i gŵr yn gyfaill i'r Arlywydd Gerald Ford, ac fe fuodd y ddau ohonon ni'n aros yn ei chartref yn East Greenbush mas yn y wlad. Yn ystod yr ymweliad hwnnw fe wnes i gwrdd â dau o'i ffrindiau, John a Pug Horton o Swydd Efrog. Roedd John yn arbenigwr ar gancr ac yn chwarae'r trombôn yn ei fand ei hun, y Cellar Six, a bu'n dda i Dill yn ddiweddarach pan ganfuwyd ei fod yn dioddef o'r cancr. Yn wir fe ddaeth John a finne'n ffrindiau mawr a byddwn i'n mynd fyny i'w weld e ac yntau a'i deulu'n dod lawr i Lanelli.

Yn Efrog Newydd hefyd fe fyddai Dill yn chwarae'n rheolaidd yn nhŷ bwyta The Windows on the World ar ben y World Trade Centre ar Dŵr y Gogledd a ddymchwelwyd ar 11 Medi 2001 gan derfysgwyr. Fe aeth e â fi draw yno ychydig cyn i'r tyrau agor yn 1973. Fe aeth â fi fyny mor bell â'r 34ain llawr yn y tŵr gogleddol, llawn ddigon uchel i fi. Ond roedd y tŷ bwyta lle byddai e'n perfformio ar lawr 107 gyda Jimmy Hamilton, a fu wedyn yn glarinetydd Duke Ellington. Yn y lle hwnnw gwnaeth Ifor Rees o'r BBC lunio rhaglen ar Dill gyda'r enw *Ar y Brig*. Bu Neil y mab a finne fyny yno unwaith yn gwrando ar Dill a phrofiad rhyfedd oedd gweld awyrennau'n mynd heibio a ninnau'n edrych lawr arnyn nhw.

Ddiwedd y saithdegau gofynnwyd i Dill a finne berfformio gyda'r Harlem Blues and Jazz Band am y tro cyntaf, yn Cape Cod. Arweinydd y band oedd Clyde Bernhardt; ef oedd y trombonydd, ac roedd wedi chwarae gyda King Oliver a Jelly Roll Morton. Yn wir, enw'r band ar y cychwyn oedd Clyde Bernhardt and the Harlem Blues and Jazz Band. Fe wnes i ddod yn ffrindiau mawr â Clyde ac fe fuodd e'n aros gyda ni yn Llanelli. Wedyn, cymerwyd gofal o'r band gan Al Vollmer, orthodeintydd a ffanatig mewn astudio hanes jazz traddodiadol o Larchmont yn Westchester, i'r gogledd o Efrog Newydd. Dill wnaeth fy nghyflwyno i i'r band. Cyn-sêr jazz y gorffennol oedd yr aelodau, perfformwyr duon i gyd ar wahân i Dill, a'r unig offerynnwr gwyn arall i ymuno â'r band oedd y drymiwr Johnny Blowers. Pan ges i fy ngwahodd i ymuno â nhw fel aelod anrhydeddus, rown i'n teimlo'n freintiedig iawn. Roedd Dill yn eithriad nid yn unig am ei fod e'n ddyn gwyn, ond hefyd am ei fod e mor ifanc o'i gymharu â'r lleill; prin wedi troi ei hanner cant a phump oedd e pan wahoddwyd ef i'r band. Roedd Max Lucas, ar y llaw arall, a oedd yn chwarae'r *tenor sax*, wedi parhau'n aelod o'r band nes ei farwolaeth yn 99 oed ac roedd Bill Dillard, cyn-drympedwr i King Oliver, yn ei wythdegau pan wnaeth e ymuno â'r band.

Gan fod cynifer o'r aelodau'n hen, fe fu llawer o fynd a dod, gyda rhywun yn marw bob blwyddyn ond gyda rhywun arall, yn aml yr un mor hen, yn cymryd ei le. Roedd profiad y bechgyn hyn yn anhygoel. Roedd Johnny Blowers wedi bod yn ddrymiwr i Tommy Dorsey ac wedi chwarae gyda Frank Sinatra am bymtheg mlynedd ac wedi chwarae hefyd gyda Billie Holiday ac Ella Fitzgerald. Y pianydd Sammy Benskin wedyn, wedi cyfeilio i Ella Fitzgerald, Billie Holiday a Sarah Vaughan. Roedd y gantores Laurel Watson wedi bod yng ngherddorfa Duke Ellington ac yn medru adrodd hanesion amdani hi a Billie Holiday yn ymladd am ffafrau'r un dyn. Fe ymosododd Billie arni unwaith â gwydr wedi'i dorri. Fe ges i chwarae gyda hi ar fy CD *Fifty Years of Jazz* yn perfformio 'I'm Confessing'.

Dyna i chi Fred Smith y trympedwr wedyn, wedi perfformio gyda phawb oedd yn unrhyw beth, o George Kelly i Aretha Franklin, a'r gitarydd Al Casey wedi bod yn aelod o fand Fats Waller ers 1935. Bu Candy Ross, y trombonydd, yn cyfeilio i Frank Sinatra, Sammy Davis

Junior a Shirley Bassey, a Johnny Williams ar y bas wedi chwarae a recordio gyda Louis Armstrong, ymhlith llawer iawn o sêr eraill.

Fe fyddwn i'n hedfan allan i ymuno â'r band o leiaf unwaith y flwyddyn ac yn ei theimlo hi'n fraint anferth cael gwneud hynny. Y tro cyntaf i fi ymuno â nhw fe aethon ni lan o Larchmont i Hopkinton, Massachusetts, ac yn y bore fe ymddangoson ni ar y teledu. Y noson honno, yn y gìg yn y Sticky Wicket, roedd Miss Rhapsody, sef Viola Wells Evans, yn canu gyda'r band. Roedd hi'n arbenigo ar swing a'r *blues*. Yn y band ar y pryd roedd George James, Johnny a Franc Williams, George James, Tommy Benford y drymiwr a Dill ar y piano.

Rown i'n siario stafell â Johnny Williams, ac fe ddaeth e'n ffrind agos iawn i fi a chyn i ni fynd i gysgu byddai Johnny'n chwarae recordiau yn cynnwys un ohono ef yn canu 'Ole Rocking Chair' gyda Louis. Ar y pryd roedd merch Mervyn, Catherine, yn byw yn Boston ac fe ddaeth hi draw i'n gweld ni gydag Emyr ei gŵr.

Un tro yn y Copley Plaza yn Boston roedd Dill yn gwrando ar y pianydd preswyl, Dave McKenna. Roedd Dave, fel Dill, wedi bod yn aelod o fand Gene Krupa ac wedi chwarae gyda'r mawrion i gyd. Er mawr syndod i Dill, dyma'r barman yn dod draw â pheint iddo. Pwy oedd wedi talu ac yn sefyll wrth y bar ond fy nghefnder Terry James a'r actor Richard Harris, a'r ddau yn rhan o'r sioe gerdd *Camelot* a oedd yn cael ei llwyfannu yn y ddinas ar y pryd.

Roedd Dill, wrth heneiddio, yn troi'n fwy o Gymro o hyd. Ac yntau yn America roedd e'n sylweddoli beth roedd e'n ei golli o fod yn alltud. Dychwelai i'r Cei Newydd yn flynyddol a byddwn i ac ef yn mynd â'r band ar deithiau ledled Prydain a'r Cyfandir. Cadwodd ei acen Gymreig ar hyd yr amser, ac fe fydde fe'n cario llyfrau Cymraeg gydag e i bobman er mwyn rhoi sglein ar ei iaith. Roedd e hefyd wedi cymryd at waith Dylan Thomas, y ddau ohonynt wedi byw yn y Cei Newydd, wrth gwrs. Un o'i ffefrynnau oedd 'Return Journey', stori hunangofiannol am Dylan yn dychwelyd i Abertawe ei blentyndod. Fe fydde fe'n gofyn i fi weithiau ddarllen iddo fe stori arall gan Dylan, 'A Visit to Grandpa's' am ei fod e'n teimlo fod gen i lais digon Cymreig i wneud cyfiawnder â'r stori. Roedd e'n hoffi Dylan nid yn unig fel awdur ond hefyd am ei fod e, fel Dill ei hun, yn caru'r dyn cyffredin ac yn casáu'r cyfoethog, yn arbennig pan oedd e'i hunan yn dlawd. Wn i ddim a wnaeth ef a Dylan gyfarfod erioed. Wnaeth e ddim sôn am y peth, felly mae'n annhebygol iddyn nhw gwrdd ac mae hynny'n beth rhyfedd gan y byddai'r ddau'n mynychu'r Black Lion yn y Cei, lle roedd cymeriad mawr, Jack Patrick, yn dafarnwr.

Fe wnaeth Dill gyfeirio droeon at ei gariad at ei dreftadaeth, y dirwedd, y bobol, rygbi a bocsio, caneuon a bywyd y dafarn. Ac fe gyfeiriodd at y ffaith ei fod e'n ymarfer ei Gymraeg yn fwy nag erioed yn Llundain ac yn Efrog Newydd, nid am unrhyw reswm sentimental, hunanbwysig ond oherwydd prydferthwch yr iaith a'r ffaith fod y fath iaith, a âi yn ôl bymtheg canrif, yn haeddu cael parhau. Pan fyddwn i'n cwrdd ag e yn Efrog Newydd fe fydden ni'n mynd gyda'n gilydd i'r Hotel Wales neu i un o fariau'r ddinas lle byddai e wrth ei fodd yn siarad yn uchel yn Gymraeg. Roedd e'n mwynhau gweld pobl yn troi i edrych a gwrando'n syn ar ddau yn siarad iaith oedd yn gwbl ddieithr iddyn nhw. Doedd dim byd yn ei blesio'n fwy na chael rhywun i ddod draw aton ni i ofyn pa iaith roedden ni'n ei siarad gan y byddai hynny'n rhoi cyfle iddo siarad am Gymru. Un tro, a finne wedi hedfan draw, roedd e wedi gadael neges i fi i ddweud ei fod e'n chwarae mewn bar arbennig adeg 'yr awr hapus'. Draw â fi mewn tacsi, a dyna ble'r oedd e'n brysur yn chwarae ac yn canu. Doedd e ddim wedi sylwi fy mod i wedi cyrraedd ond yna, yn sydyn reit, dyma fi'n clywed nodau a geiriau 'Hen Wlad fy Nhadau'. Roedd Dill wedi 'ngweld i ac am roi croeso iawn i fi.

Fel llawer o berfformwyr roedd e'n hoffi diferyn bach gan yfed, fel arfer, lased o gwrw gyda *Bourbon* mewn gwydr arall. Ond rown i'n poeni o sylwi nad oedd e'n bwyta fel y dylai. Doedd e ddim yn ymddangos fel petai e'n goryfed ond pan fuodd e farw fe ddywedodd ei feddyg fod ei arennau fel peli criced. Yfed am ei fod e'n unig roedd e, er na welais i fe erioed yn feddw. Yr unig amser pan fyddai e'n gwbwl hapus oedd pan fyddai e'n perfformio.

Tuag at ddiwedd ei oes roedd yr elfen o hiraeth yn dod yn fwyfwy amlwg yn ei waith gydag alawon o'r enw 'Welsh Pearl', 'Blues Alone', 'New Quay News' a 'There Are No Flowers in Tiger Bay'. Rwy'n cofio amdano unwaith ar raglen Humphrey Lyttleton, wedi i rywun gyfeirio ato fel 'English pianist' yn gwylltio ac yn pwysleisio nad Sais oedd e ond Cymro. Rown i gydag e hefyd yn Albany pan gafodd ei holi ar raglen radio a phan ddywedodd ei fod e'n dod o Gymru, fe ofynnodd ei holwr sut ddinas oedd 'Wales'. Ni fu Dill yn hir cyn goleuo'r holwr.

Yn 1981, mewn cynhadledd jazz yn Awstralia, y sylweddolodd

am y tro cyntaf fod ganddo broblem gyda'i wddf. Roedd e wedi crybwyll wrtha i ar ein ffordd i'r orsaf, lle roedd e'n cwrdd â'r trên i Lundain i ddal yr awyren, ei fod e'n cael poen wrth lyncu. Daeth adre i'r Cei Newydd y flwyddyn wedyn gan ymweld â'i fodryb, Isawel. Teimlai'n agosach ati hi nag at neb arall. Yna fe wnaeth y ddau ohonon ni fynd i stiwdio yn Llanrhystud i recordio ar dâp *Y Cyswllt Cymreig*, y recordiad a oedd yn gymysgedd o alawon gwerin wedi eu gwreiddio yng Nghymru, ac alawon y bobl dduon.

Wedyn fe aeth Dill i Berne, lle yr aeth e'n wael. Ond dywedwyd wrtho yno gan feddyg nad oedd dim o'i le ar ei wddf. Fodd bynnag, 'nôl yn America, aeth at ei hen ffrind, y meddyg John Horton, a chanfu hwnnw fod cancr ar y corn gwddf. Yn wir, fe ffoniodd John fi ar ddydd Nadolig 1982 i ofyn a fedrwn i drefnu i arbenigwr yng Nghymru archwilio Dill gan y byddai hynny'n costio 144,000 doler yn America. Fe hedfanodd Dill a finne 'nôl i Lundain, yn cario'r platiau pelydr-X gyda ni. 'Nôl yn y Cei Newydd fe wnaethon ni gysylltu â'r arbenigwr ar y glust, y trwyn a'r gwddf, sef Gareth Williams yn Ysbyty Glangwili, hen ffrind i ni a garai hwylio, fel ninnau. Sylweddolodd Gareth nad oedd pethe'n dda ac fe drefnodd i Dill gael mynd i Lundain i dderbyn triniaeth, a olygai dynnu'r corn gwddf. Roedd hon yn ergyd fawr i Dill oherwydd yn ogystal â chwarae'r piano fe fyddai e'n canu hefyd, o ganeuon fel 'A Hundred Years From Today' i ddarnau doniol fel 'I'm Henry the Eighth I Am, I Am'. Nawr byddai canu, a hyd yn oed siarad, allan o'r cwestiwn.

Wedi'r driniaeth, fe wnaeth Dill aros gyda fi a Rosemary fy ngwraig (ailbriodais yn 1976) am gyfnod gan dreulio ei amser yn edrych allan ar aber y Llwchwr ac yn rhoi tonc yn awr ac yn y man ar y piano. Y môr a miwsig oedd ei ddau gariad mawr. Fe aeth e 'nôl am y tro olaf i'r Cei Newydd i ffarwelio ag Isawel cyn dychwelyd i America gan symud allan o'i fflat a mynd i Port Washington ar Long Island lle roedd cariad iddo, Wendy Flennard, gwraig weddw, yn byw. Ailgydiodd mewn perfformio am gyfnod cyn cael ei gymryd i Ysbyty Sant Vincent, lle bu farw un o'i arwyr, Dylan Thomas, ddeng mlynedd ar hugain yn gynharach. Fe fyddai Johnny Blowers yn galw i'w weld e'n rheolaidd.

Pan oedd e yn ei waeledd, fe es i draw i'w weld e i Port Washington ac rwy'n cofio i Dave McKenna ddod lawr o Boston i'w weld hefyd. Roedd Dill yn ei wely, a Dave yn chwarae darnau atgofus ar y piano ac yn sôn am yr hen ddyddiau wrth geisio'i gysuro.

Cyrhaeddodd llythyr olaf Dill wedi ei ysgrifennu fel traethawd, mewn pensil a'i lawysgrifen yn dal yn gadarn ac yn glir. Ynddo fe ofynnodd i mi, fel 'ffrind y medrai ymddiried ynddo', am gyngor personol. Ynddo hefyd, ailbwysleisiodd ei gariad at Gymru a'i phobl. Meddai:

> Yn naturiol, bu anhrefn yn gydymaith cyson yn ddiweddar, ond defnyddiais yr holl ewyllys a'r cryfder sydd yn fy meddiant i ymladd yn ôl. Dywed wrth Jim ac Ardis (Timmis) fy mod i'n hiraethu am yr hen ddyddiau, y cyfeillgarwch, y chwerthin a'r cynhesrwydd y gwnaethom ei rannu gyda'n gilydd. Rwy'n adnabod y teulu, ac mae eu hadnabod nhw'n un o'r profiadau mawr yma yn America.
>
> Yn aml caf fy llyncu gan hiraeth am Gymru, eto fe wn na fedraf droi'n ôl dudalennau amser. Mae Cymru'n newid – ym mhobman. Daw cenedlaethau newydd (rheol bywyd) i atal yr alltud rhag sylweddoli'r freuddwyd amhosib. I ddychwelyd at yr un bobl, awyrgylch a hyd yn oed 'daearyddiaeth', rhywbeth anghyraeddadwy. Mor ffodus ydw i o gael cynifer o ffrindiau yn fy Henwlad annwyl.
>
> Hyderaf i mi wneud llwyddiant rhesymol o'm bywyd (er nad yn faterol). Ac ni chredaf i mi wneud y peth anghywir drwy ddod yma i'r UDA i wella fy nghelfyddyd. Ni lwyddais erioed i ganfod sicrwydd yma, ac mewn gwirionedd, methais â thynnu fy ngwreiddiau allan o Gymru. Ddim hyd yn oed pan drigwn yn Llundain. Mae hwnnw'n faich y bu'n rhaid i mi ei ysgwyddo'n barhaol. Ond meddylia am y ffrindiau a wnes, a'r profiadau ledled y byd.

Aeth ymlaen i ddisgrifio dadfeiliad ei iechyd fel rhywbeth a ddaeth fel sioc:

> Wyt ti'n cofio mor egnïol oeddwn i? Dydw'i ddim yn credu fy mod i wedi bod yn hunanddinistriol. A bûm mor driw i fy hunan ag y gallwn fod. Rwy'n amau fy mod i weithiau'n or-emosiynol a gofidus. Hyd yn oed gyda'm cariad at fy ngwlad enedigol, teimlaf yn ddryslyd weithiau oherwydd y traha a'r snobyddiaeth a

Band Y Byd yn ei Le: John Phillips (piano), Wyn Davies (bas), Brian Breeze (gitâr), fi, Peter Lewis (drymiau) a Mervyn fy mrawd (feibs)

ddygwyd i mewn gan rai o'r goresgynwyr. Caraf Gymru, a charaf Gymry Clwb Criced Llanelli, a hen dafarnau'r Dolau a'r Llew Du yn y Cei Newydd. Cymeriadau garw ond caredig y cymoedd a doniolwch a chynhesrwydd calonogol pawb ohonom fydd yn canu'r anthem genedlaethol gyda'r fath ras ac egni rhyfeddol. Ansawdd dewr a thrugarog y Celt. Cyflymdra, gosgeiddrwydd ac ynni'r chwaraewr rygbi a dull cadarn a garw Colin Jones gyda Milton McCrory.

Dychwelodd wedyn at ei yrfa ei hunan:

Rwyf wastad wedi gobeithio i mi wneud rhywbeth pendant mewn hyrwyddo diddordeb mewn diwylliant jazz yng Nghymru wrth i'r gerddoriaeth symud tuag at gydnabyddiaeth ryngwladol fel dull celfyddyd fyd-eang. Am y diwylliant du, teimlais erioed fod iddo gymariaethau â diwylliannau Cymru. Teimlais hynny'n gryf pan glywais Paul Robeson yn canu am y tro cyntaf.

Gyda Vaughan Hughes ar set Y Byd yn ei Le

Trawodd ambell nodyn yn ei lythyr wedyn yn dweud fod sŵn glaw ar y to yn gysur mawr iddo, emosiwn a rannai â W C Fields. A chyfeiriodd at y stori honno, 'A Visit to Grandpa's' gan Dylan Thomas. Ynddi, mae Tad-cu wedi gadael cartref ac yn cael ei ganfod ar Bont Caerfyrddin ar ei ffordd i gael ei gladdu yn Llansteffan. Nododd Dill eiriau ola'r stori, sy'n disgrifio Tad-cu fel, 'proffwyd sydd heb unrhyw amheuon'.

Bu farw Dill ar 22 Mehefin 1984 yn y Calvary Hospital yn y Bronx. Rown i'n paratoi i chwarae ar y rhaglen *Y Byd yn ei Le* ar S4C pan dorrwyd y newydd i fi gan y cynhyrchydd, Wyn Thomas. Fe'i cefais hi'n anodd iawn mynd ymlaen y noson honno. Ond roedd hi'n rhaglen fyw. Doedd dim dewis.

Cynhaliwyd gwasanaeth coffa iddo yn Eglwys Sant Pedr yn Lexington Avenue ar 54th Street a gwasgarwyd ei lwch dros Long Island Sound oddi ar bont Verrazano, sy'n cysylltu Staten Island a Brooklyn. Y flwyddyn honno, yn Eisteddfod Genedlaethol Llambed, fe'i derbyniwyd yn aelod o'r Orsedd, chwe wythnos wedi ei farwolaeth. Fe'i hanrhydeddwyd am yr agwedd arbennig o'i gelfyddyd fel cerddor a wnaeth lwyddo i blethu caneuon gwerin Cymru i mewn i'w fiwsig.

Ugain mlynedd yn ddiweddarach fe gyhoeddwyd casgliad o 31 o donau gan Dill, *Davenport Blues – Dill Jones Plays Bix, Jones and a Few Others*. Heb amheuaeth, ef oedd yr offerynnwr jazz mwyaf i ddod allan o Gymru erioed.

Pennod 5

Dim rhyfedd mai Bedyddiwr ydw i. Mae dŵr a finne wedi bod yn ffrindiau erioed. Pan own i'n grwtyn bach rown i byth a hefyd, mae'n debyg, yn agor y tap yn nhŷ gwydr Mam-gu yn yr ardd gefn er mwyn chwarae yn y dŵr. Ond fe roddodd Mam-gu stop ar hyn. Fe glymodd hi ddarn o bren wrth y tap a'i alw fe'n Bwm Bam ac fe gododd hwnnw ofn arna i a wnes i ddim cyffwrdd â'r tap byth wedyn.

Ond roedd angen mwy na'r Bwm Bam i 'nghadw i o ddŵr y môr. Rwy wedi bod yn ei ymyl, arno neu ynddo gydol fy oes. Pan oedd Mervyn a finne'n blant fe fydden ni'n byw a bod lawr yn yr harbwr. Roedd y lle fel rhyw faes chwarae anferth i ni yn y dyddiau pan nad oedd sôn am reolau iechyd a diogelwch ac yn aml fe fydden ni'n mynd gydag Wncwl Ifor, a hwnnw'n galw ar y ffordd yn Station Road gyda'i ffrind Mr Rubenstein, Iddew oedd yn byw lawr yr hewl ac yn cadw siop emwaith. Yno fe fydden ni'n galw i nôl Rags, daeargi Mr Rubenstein, a mynd ag e gyda ni am dro. Lawr yn yr harbwr fe fydden ni'n taflu darnau o bren i'r dŵr, a Rags yn plymio mewn a dod â nhw 'nôl yn ei geg. Roedd pont siglen yn Noc y Gogledd bryd hynny ac yno y byddem yn gwylio llongau bach y glannau, yr *Afon Gwili* a'r *Afon Lliedi* yn eu plith, yn dod mewn a mynd allan. Yn y cyfnod hwnnw gellid gweld llongau pysgota niferus yn gwau rhwng ei gilydd. Mor dawel yw'r lle heddiw.

Gan fod Wncwl Ifor yn arolygwr glanweithdra fe fyddai fe'n byrddio'r llongau a chael cip o gwmpas rhag ofn y byddai'r criwiau'n torri'r rheolau ac fe fyddwn innau'n dal ar y cyfle i fynd gydag e. Ddim bod Wncwl Ifor yn ceisio bod yn ymyrgar; ei brif reswm dros fyrddio llongau a chychod oedd am ei fod e wrth ei fodd yn cyfarfod ac yn siarad â phobol.

Un o'r llongau oedd yn tanio'r dychymyg fwyaf oedd y *Polmanter*, llong stêm a oedd, wrth gwrs, yn llosgi glo. Fe fyddwn i wrth fy modd pan fyddai hon yn dod mewn. Y llong fwyaf i fi ei gweld yn dod mewn erioed oedd y *Kajak*, yn cario haearn crai o Sweden i'r ffwrneisi lleol a phropiau coed o Ffrainc ar gyfer gweithfeydd glo Cwm Gwendraeth. Roedd hi mor fawr fel ei bod hi'n gofyn am dipyn o fedr a gofal i'w throi hi. Fe fyddai hi'n mynd mas wedyn wedi'i llwytho â glo a llenni dur, a'r dur yn dod o'r gweithfeydd lleol, wrth gwrs, a'r glo'n cael ei gludo o Bontyberem a Phont-henri mewn tryciau ar hyd y rheilffordd i'r harbwr.

Un o anturiaethau mwyaf plentyndod fu gweld morfil marw ar y traeth yn y Pwll. Rown i ac Alwyn a'n ffrindiau yn gwylio pictiwrs yn y Regal pan ledodd y stori am forfil wedi'i olchi ar draeth Slip Dau, lle glaniodd Amelia Earhart yn dilyn ei thaith arwrol yn ei awyren fôr ar draws Môr Iwerydd yn 1928. Pan orffennodd y ffilm, fe wnaethon ni redeg y filltir a hanner draw i weld y lefiathan marw. Ceisiodd un o'r bechgyn mwyaf anturus dynnu un o ddannedd yr anifail, ond gan fethu'n llwyr.

Roedd Tad-cu yn ddyn môr hefyd, yn dipyn o bysgotwr a fyddai'n cerdded dros wyth milltir draw i Gydweli i bysgota o'r cwch, y *Paul*. Cwch Almaenaidd tri mast oedd hwn a oedd wedi suddo oddi ar draeth Cefn Sidan cyn y Rhyfel Mawr. Fe lwyddwyd i'w godi a'i adfer. Fe'i canfuwyd ger y Bertwn lle mae tair afon yn cyfarfod mewn man sy'n cael ei adnabod fel Troed y Frân, enw sy'n deillio o'r ffaith bod siâp uniad yr afonydd yn debyg i droed brân.

Fe fydden ni ar brydiau yn cael mynd gyda Tad-cu a Mam-gu ar gwch rhwyfo o Lan-y-fferi i Lansteffan ac weithiau fe fyddai hyn yn rhan o'n trip ysgol Sul ni. I Lan-y-fferi y byddai'r trip yn mynd, a ninnau wedyn yn cael bonws drwy gael croesi'r aber i Lansteffan, mordaith o tua hanner awr. Roedd lle ar y cwch i tua dwsin ac ar yr hen gwch bach hwn, siŵr o fod, yr es i ar y môr am y tro cyntaf.

Fe fyddwn i hefyd yn cael mynd ar y *Devonia*, llong fach a oedd yn hwylio mas o Abertawe. Rhodlong stêm oedd hon a oedd yn gadael Abertawe tua chwech o'r gloch y nos i fynd allan i oleulong y *Scarweather*, mordaith o tua dwy awr un ffordd. Fe fydden ni'n mynd i Abertawe ar un o fysys Basset o Gorseinon. Un tro roedd 'Nhad, Wncwl Ifor, Alwyn a finne ar y *Devonia* mewn gwynt a oedd mor gryf fel na fedrai droi. Ar ben hynny mae cerrynt cryf yn y sianel hon rhwng gwastadedd tywod Scarweather ac Abertawe. (Yn ystod haf 1819 roedd brìg y *George* wedi suddo yno, a boddwyd y criw o wyth.) Roedd rhai o'r teithwyr y noson honno yn gofidio. Ond doedd Wncwl Ifor yn becso dim, roedd e lan yn y bar yn yfed pop coch; o leiaf, dyna y byddai e'n ei ddweud wrthon ni roedd e'n yfed. Rown i yng nghanol y dec uchaf, y man gorau bob amser mewn môr garw lle mae yna ddigon o aer. Camgymeriad mawr yw mynd i berfeddion y llong ar dywydd gwael.

Weithiau fe fyddai Mam-gu, pan fyddai hi'n gweld drwy'r ffenest bod ceffylau gwyn ar y môr, yn ceisio perswadio Wncwl Ifor i beidio â mynd. Ond fyddai Wncwl Ifor byth yn gwrando. Mynd fyddai e, a finne a Mervyn yn aml yn mynd gydag e.

Oedd, roedd y môr yn fy nenu a'm swyno o ddyddiau cynnar iawn. Fe gefais i fy nghodi ar hanesion am 'Nhad yn hwylio allan i ryfel. Yn wir, wedi iddo gael ei anafu'n ddrwg yn ei ddwy goes yn Ypres, a cholli un o'r glun i lawr, fe hwyliodd ei dad, sef Tad-cu Lodwick, allan i'w weld e yn yr ysbyty rhyfel. Roedd e'n anymwybodol, a neb yn rhoi rhyw lawer o obaith iddo. Fe gerddodd Tad-cu i mewn, ei sgidiau hoelion yn disgyn yn swnllyd ar y llawr pren ac adnabu 'Nhad sŵn ei draed a dod ato'i hun. O'r diwrnod hwnnw fe wellodd. Rwy'n cofio amdano fe'n adrodd neges y llawfeddyg iddo 'Lodwick, when they ask you who carried out this short-leg amputation, you tell them it was Major White of Dublin.' Yn amlwg, roedd e'n bles â'i waith. Rwy'n cofio 'Nhad hefyd yn dweud sut oedd e'n arfer ysgrifennu llythyron adre yn Gymraeg er mwyn twyllo'r sensor. Doedd ganddo fe ddim hawl datgelu ble oedd e, felly fe fyddai e'n defnyddio cod. Er enghraifft, fe fyddai Braich Mewn Dagrau yn air cod am Armentiers.

Fedren ni ddim fforddio cwch fel teulu pan own i'n blentyn. Ond fe wnaeth Mervyn a fi ffeindio hen gwch oedd wedi'i adael i fadru ar y traeth yng Nglan-y-fferi. Roedd hi'n amlwg nad oedd neb yn ei berchen e. Fe wnaeth Mervyn felly ei berchnogi ac fe fuon ni'n gweithio'n galed arno fe i'w wneud e'n addas i fynd i'r môr. Fe lwyddon ni hefyd ond, ar ôl yr holl waith, fe wnaeth rhywun ei ddwyn e. Serch hynny, fe gawson ni lawer o sbri tra parodd e.

Trip bach arall fydden ni'n ei wneud weithiau fyddai mynd draw o Ddinbych-y-pysgod ar gwch i Ynys Bŷr i ymweld â'r fynachlog. Mordaith fach fer oedd honno, wrth gwrs. Ac fe barhaodd yr arferiad wedi i Neil, y mab, gael ei eni. Rwy'n cofio mynd ag e yno pan oedd e'n grwt ac ar ddiwedd yr ymweliad dyma'r Abad yn gofyn a oedd gan unrhyw un gwestiwn. Cododd Neil ei law a gofyn a oedd y mynachod yn llenwi'r pyllau pêl-droed. Cwestiwn annisgwyl, a dweud y lleiaf!

Rwy'n cofio'n dda am y *Lady Rowena* wedyn. Llong bleser oedd hi, wedi ei phrynu gan griw o fechgyn lleol o Lanelli ac yn cael ei hangori yn Noc y Gogledd. Fe ddechreuon nhw gychwyn

mordeithiau siopa o Lanelli i Abertawe a 'nôl bob dydd Sadwrn gan
hwylio mas i'r sianel a rownd i'r Worm's Head a goleudy Whitford.
Goleudy o fetel, gyda llaw, oedd hwn – yr unig oleudy o'r fath yn
Ewrop. Yna hwylio ymlaen ar hyd arfordir Bro Gŵyr ac ymlaen eto i
harbwr Abertawe, lle byddai hi'n angori am sbel.

Un dydd Sadwrn, a Mam ymhlith y teithwyr, fe ddechreuodd y
llong suddo ar ei ffordd yn ôl wrth fynd rownd pentir y Worm's
Head. Fe gyrhaeddodd y newydd wylwyr y glannau yn Llanelli ac fe
ledaenodd yr hanes. Heidiodd pobol lawr i Ddoc y Gogledd, Mam-
gu a Tad-cu yn eu plith, a phawb yn ofni'r gwaethaf ond, yn ffodus,
oriau'n hwyr, fe lwyddodd y llong i gyrraedd 'nôl, a phawb yn
ddiogel. Heddiw, gyda llaw, fe fedra i weld y Worm's Head yn glir o
ffenestri ffrynt fy nghartref.

Yn nes ymlaen fe brynodd Mervyn ei gwch ei hun, y *Marged*.
Llong o'r math a ddefnyddid i hel morfilod oedd hon, *double-ender*
32 troedfedd ac iddi injan ddisel bwerus; roedd hi, o'r herwydd, yn
un gyflym. Fe wnes i ei helpu gryn dipyn gyda'r gwaith metel a phren
a'i hailbeintio ac yna dyma fe'n penderfynu ei gwerthu. Fe
ddangosodd criw o ddeg o bobol ddiddordeb yn ei phrynu ac fe
ddaethon nhw mas arni gyda Mervyn a finne. Mervyn oedd y criw, a
finne fyny ar y tu blaen ac aethon ni mas o Borth Tywyn tuag at
oleudy'r Whitford. Gyda Mervyn yn llywio, fe wnes i ddigwydd codi
un o'r hatsys oedd o'i flaen e a chanfod bod dŵr yn llifo i mewn. Sut
fedrwn i dorri'r newydd drwg wrth Mervyn heb i'r lleill ddeall?
Petaen nhw'n sylweddoli ei bod hi'n gollwng dŵr, fyddai ganddyn
nhw ddim diddordeb yn ei phrynu. A dyma fi'n dweud wrtho'n
hamddenol, 'Mervyn, wyt ti'n cofio'r *Lady Rowena*?' Fe ddeallodd ar
unwaith ac fe ddwedodd wrth y darpar brynwyr, 'Reit, fe awn ni 'nôl
nawr.' A 'nôl â ni i'r harbwr. Cael a chael fu hi ac fe wnaethon ni ei
hatgyweirio'n llwyr a'i gwerthu'n llwyddiannus.

Roedd y môr yn gymaint rhan o fywyd naturiol bob dydd i
Mervyn a fi ag oedd yr awyr uwch ein pennau ni. Yn wir, rown i'n ei
ystyried e'n gymydog, yn gymydog da hefyd gan y byddwn i'n gweld
y môr bob dydd o dŷ Mam-gu. Roedd e wedi mynd i 'ngwaed i a dyna
pam roedd e'n rhywbeth cwbl naturiol i fi ymuno â'r Llynges pan
ddes i'n ddeunaw oed. Rown i'n teimlo fod y môr, rhywfodd, yn bur
ac yn lân. Rown i hefyd yn hoffi lifrai'r Llynges a oedd gymaint yn fwy
rhamantus na lifrai'r Fyddin neu'r Awyrlu. Roedd e'n gam naturiol

i'w gymryd gan fy mod i'n teimlo'n gyffyrddus ar y môr. Rown i hefyd wedi bod yn dilyn cwrs radio llawn amser yn y Coleg Hyfforddi Radio yn Abertawe am chwe mis. Yr adeg honno, wrth gwrs, roedd yr Almaenwyr yn suddo llongau'n rheolaidd ac roedd angen swyddogion yn y Llynges. Teimlwn y byddai ymuno â'r Llynges felly yn ffordd fuan i ddringo i safle swyddog.

Y pennaeth technegol yn y coleg oedd Dai Rees. Roedd ganddo fe brofiad o fod ar y *Mauritania*, chwaer long y *Lusitania* a lansiwyd yn 1906 ar gyfer cwmni Cunard. Y *Mauritania* oedd y llong deithio fwyaf a'r gyflymaf oedd yn croesi Môr Iwerydd ar y pryd. Yn drist iawn, fe suddwyd y *Lusitania* gan un o longau tanfor yr Almaen yn 1915 gan ladd 1,118 o deithwyr a chriw oddi ar bentir Kinsale yn Corc yn ne Iwerddon.

Yn y coleg fe ddysgon sut oedd danfon negeseuon. Fe fydden ni hefyd yn cael setiau radio gyda nam bwriadol wedi ei achosi iddyn nhw a'n gwaith ni wedyn fyddai canfod y nam a'i gywiro. Roedd y coleg yn edrych lawr ar Fae Caswel ac er mai myfyrwyr oedden ni, a'r cwrs yn cael ei redeg gan y Llynges Fasnachol, bydden ni'n cael gwisgo lifrai gan ymuno mewn parêd ar y traeth islaw.

Fe fues i wedyn yn cicio'm sodlau yn disgwyl am long nes i fi dderbyn y papurau swyddogol ar gyfer ymuno ag un o'r Lluoedd Arfog ychydig cyn fy mhen blwydd yn ddeunaw oed ar 15 Mawrth 1945. Dyma benderfynu ymuno â'r Llynges Frenhinol. Ond yn y cyfamser fe wnes i barhau gyda'r diddordeb mewn radio gan gysylltu hynny â mordwyaeth, fel y cofnodais eisoes. Fe fues i wedyn yn darlithio ar fordwyaeth am flynyddoedd yn y Ganolfan Addysg yn y Pwll gan bwysleisio'r pwysigrwydd o fedru darllen map a rhoi cyfarwyddiadau clir a manwl dros y radio. Mewn argyfwng, mae rhoi gwybodaeth am eich sefyllfa a'ch safle mewn modd pwyllog yn holl-bwysig. Mater o falchder i fi yw bod un o'r rhai fu'n derbyn gwersi gen i wedi llwyddo wedyn i fordwyo o gwmpas y byd.

Gan mai rhan o'n dyletswyddau ar y *Creole* yn ystod fy nghyfnod yn y Llynges oedd ymlid llongau tanfor yr Almaen, profiad diddorol i fi, flynyddoedd yn ddiweddarach yn America, fu cael y cyfle i fynd ar un o longau tanfor enwoca'r byd. Roeddwn i a Dill wedi dod yn ffrindiau â Jim ac Ardis Timmis yn Efrog Newydd ac fe aeth Ardis â fi unwaith i weld y llong danfor niwclear y *Nautilus* yn Mystic, Connecticut. Roedd hi'n ddiddorol cael gweld y llong danfor gyntaf erioed i groesi o dan Begwn y Gogledd ond erbyn i fi ei gweld hi roedd hi wedi dod i ddiwedd ei bywyd ac yn gorwedd yn yr Amgueddfa Llongau Tanfor. Cawsai ei lawnsio yn 1954 gan wraig Dwight D Eisenhower ac fe fu mewn gwasanaeth tan 1979. Bu nifer o longau a llongau tanfor wedyn yn dwyn yr un enw gan gynnwys llong danfor Capten Nemo, wrth gwrs, yn *Twenty Thousand Leagues Under the Sea* ac yn *Mysterious Island*.

Digwyddiad arall diddorol oedd hwnnw pan wahoddwyd fi, drwy ffrindiau, i fynd ar fordaith gyda Maer Albany, sef Maer Toughy, ar ei long hwylio *Content*, cwch 44 troedfedd gyda mast sengl. Fe wnaethon ni gychwyn o Salem am Marble Head a draw am Gloucester, Block Island a Rockfort. Ar y ffordd fe wnaethon ni hwylio i mewn i drowynt a bu'n rhaid cau'r hatsys a gorwedd wrth angor nes i'r storm fynd heibio.

Fe ges i fy nghwch cyntaf yn y chwedegau cynnar, sef criwser saith metr a hanner, cwch o bren mahogani wedi ei adeiladu yn Berlin yn yr Almaen. Fe'i hadeiladwyd e fel cwch heddlu i wasanaethu ar yr afonydd ac roedd e felly wedi ei gynllunio gyda'r pwyslais ar gyflymdra. Yn Ninbych-y-pysgod y gwnes i ei weld e. Fe es i draw yno'n fwriadol i chwilio am gwch addas a dyna ble'r oedd e ar ochr y ffordd ar drelyr. Fe hoffais i ei siâp e ar yr olwg gyntaf a siâp ei ben blaen e yn arbennig yn apelio. Fe wnes i sylweddoli fod angen cryn waith arno, ond fe'i prynais i fe am £950 a'i lusgo fe 'nôl i'r Pwll, lle rown i'n byw erbyn hynny, a'i adael e y tu allan i'r tŷ. Ac yno y gwnes i weithio arno gan dynnu ei injan e bob yn ddarn ac yna ei hailadeiladu. Rown i'n gweithio yn y Ganolfan Addysg yn y Pwll erbyn hyn ac roedd gwersi cynnal a chadw ceir yno, a finne'n eu rhedeg. Felly roedd gen i brofiad o weithio ar injans. Yn ogystal, roedd yr hyfforddiant ges i mewn gwaith coed a gwaith metel yn awr yn talu ar ei ganfed. Roedd e'n waith rown i'n ei fwynhau hefyd.

Roedd y cwch a brynais wedi ei adeiladu yn y dull clasurol gyda phlanciau'n stribedi wedi eu hoelio i'w lle gyda hoelion copr. Fe gymerais i ymron flwyddyn a hanner i'w adfer e i gyflwr digon da i hwylio. Yna fe es i ag e i Borth Tywyn a'i fedyddio yn *Creole Bach*, er cof am y llong ryfel y bues i'n gwasanaethu arni. Injan betrol oedd arno, yn hytrach nag un ddisel, a hynny'n anfantais gan fod cwch petrol yn fwy ymfflamychol a pheryglus petai damwain. Fe ges i gymorth i fynd ag e i'r dŵr gan Almaenwr oedd yn rhedeg cwmni

Thyssen yn y Bynea, gŵr yn arddangos ar ei fraich lun tatŵ o'r Eryr Almaenig o'i ddyddiau yn yr Hitler Youth. Fe fuon ni'n disgwyl i'r llanw ddod mewn am ychydig cyn i fi lywio'r llong fechan allan i'r môr am y tro cyntaf ar ei newydd wedd. Roedd hi'n foment fawr ac er na wnaethon ni ddim torri potel o siampên dros ei thrwyn hi, fe yfodd yr Almaenwr botel o gwrw fel lwc.

Roedd lle i ddau gysgu ar y *Creole Bach* ac fe wnes i fwynhau ei hwylio draw i Ddinbych-y-pysgod, mordaith o chwe awr. Roedd hynny'n golygu llosgi chwe galwyn o betrol bob ffordd. Fe es i ag e hefyd draw i Milffwrd ac i Neyland, ac ym Milffwrd y gwnes i ei angori am gyfnod. Fe fuodd e gen i am dros ddeng mlynedd. Yn Hwlffordd roedd e pan werthais i e am £2,500 i ddyn o Geredigion. Mae'n swnio fel petawn i wedi gwneud elw bach sylweddol ond na, rown i wedi gwario arian mawr arno fe ac wedi rhoi oriau lawer o lafur cariad ar gyfer ei adfer e. Yn wir, teimlwn yn drist o'i werthu.

Gymaint oedd fy niddordeb i yn y môr ac mewn hwylio fel i fi gael fy newis yn 1988 i fod yn Gomodor ar Glwb Hwylio Porth Tywyn. Y flwyddyn honno fe wnaethon ni ddathlu trigain mlyddiant glaniad Amelia Earhart mewn awyren fôr. Fe ailgrëwyd y digwyddiad gyda dwy fenyw mewn awyren yn glanio a finne'n mynd allan i gwrdd â nhw mewn cwch a dod â nhw i'r lan.

Breuddwyd Amelia oedd bod y fenyw gyntaf i hedfan dros Fôr Iwerydd. Ar 17 Mehefin 1928 fe gododd yn ei *Fokker 7*, y *Friendship*, gyda dau gyd-beilot, Wilmer Stultz a Louis Gordon, a glanio ar y dŵr ym Mhorth Tywyn 20 awr a 40 munud yn ddiweddarach. Mae'n rhaid ei bod yn olygfa anhygoel: yr awyren yn dod i'r golwg drwy'r cymylau ac yn disgyn ar wyneb y môr yn y Pwll. Y cyntaf i fynd draw at yr awyren oedd bachan o'r enw Dai Harvey, tipyn o gymeriad lleol a oedd mas yn pysgota yn ei gwch rhwyfo, y Black Pad. Fe gafodd e sioc aruthrol, ond draw yr aeth e gan agor drws yr awyren. Disgynnodd llwyth o boteli allan, mae'n debyg, a'r rheiny'n boteli gwag. Gan fod gwaharddiad ar alcohol yn America ar y pryd, roedd hi'n amlwg fod y criw wedi gwneud iawn am hynny. Dyma lais gydag acen Americanaidd yn galw o'r awyren, 'Where are we?' A Dai yn ateb, 'Second Slip Pwll!' Man a man petai e wedi dweud wrthyn nhw eu bod nhw wedi glanio ar y lleuad!

Ar gyfer dathlu'r trigain mlyddiant roedd tyrfa anferth wedi ymgynnull, yn cynnwys yr Aelod Seneddol, Denzil Davies; fe wnaethon ni hyd yn oed ail-greu symudiadau'r criw drwy fynd i gaffi Frickers, lle roedd Amelia wedi mwynhau paned o de ar ôl glanio. Yn anffodus, mae'r adeilad wedi'i dynnu lawr erbyn hyn.

Collwyd Amelia wedyn pan oedd hi ar daith arall dros y Dwyrain Pell ac ni chafwyd hyd iddi hi nac i unrhyw olion o'i hawyren hyd heddiw. Fodd bynnag, ym Mhorth Tywyn mae yna gofeb yn deyrnged iddi am ei champ ac am ei dewrder. Heddiw, medraf edrych lawr o ffenest fy lolfa ar Slip Dau, lle glaniodd Amelia, a lle gwelais, ychydig flynyddoedd yn ddiweddarach, y morfil marw hwnnw. Mae'r olygfa mor glir â'r cof.

Yr ail gwch i fi ei brynu oedd *Fisher 30* dau fast, gyda starn dull canŵ, math o gwch sy'n cymryd y tonnau'n well nag oedd y *Creole Bach*, yn enwedig mewn môr ffafriol. Roedd iddo injan *Mercedes 36* ddisel ac fe wnâi tua deg milltir môr yr awr. Yn y marina yn Benalmedina ger Malaga yn Sbaen y gwelais i hwn. Rown i nawr yn edrych am gwch arall i gymryd lle'r *Creole Bach*. Fe gostiodd hwn £16,500 i fi er bod angen llawer o waith arno ond fe wnes i fentro, ac fe'i hwyliwyd hi 'nôl i Neyland. Yn yr iard yn yr harbwr yno y buodd e am flwyddyn yn cael ei lanhau a'i ailbeintio. Wedyn fe fuodd e yn yr harbwr yn sefydlog a byddai aelodau o'r teulu neu ffrindiau'n mynd lawr i aros arno. Roedd lle i gysgu pedwar ar hwn, a phetai angen fe allai un gysgu yn y cwt llywio. Fe enwais i hwn yn *Creole Las*. Y gwahaniaeth rhwng hwn a'r *Creole Bach* oedd ei fod e'n eistedd *yn* y dŵr yn hytrach nag eistedd arno. Golygai hyn ei fod e'n arafach ond roedd e'n teithio'n ddigon cyflym ar gyfer f'anghenion i ar hyd y Cleddau lle roedd angen bod yn ofalus o'r tanceri mawr oedd yn mynd a dod. Mae rheolau morwriaeth, wrth gwrs, yn mynnu bod yn rhaid ildio lle i longau mwy. O wynebu tancer anferth, does dim llawer o ddewis.

Fe hwyliais i'r *Creole Las* yr holl ffordd i Menorca yn 1993. Fe olygodd hynny hwylio draw i Bordeaux a dilyn afon Gironde. Fe ges i gwmni Neil, y mab, am y ddeuddydd a aeth â ni mor bell â chamlas y Midi, sy'n cysylltu Môr Iwerydd a Môr y Canoldir. Fe wnaethon ni benderfynu oedi yn Agen ond aethon ni mewn yn rhy gyflym ac fe gafodd y bad hen grafiad cas. Mae Agen yn dref a efeilliwyd â Llanelli ac mae iddi, fel sydd gan Lanelli, dîm rygbi enwog. Felly fe wnaethon ni dreulio'r nos yno. Yn wir, fe ofynnwyd i Neil gyflwyno araith yn Neuadd y Dref. Fe aethon ni adre wedyn gan adael y bad yno am dair wythnos.

Pan ddychwelais i Agen roedd Neil yn methu dod gyda fi oherwydd galwadau gwaith. Felly fe ddaeth Mervyn gyda fi a dyna pryd y ces i hefyd y criw mwyaf lliwgar a ges i erioed. Fe benderfynodd y Parchedig Elfed Lewys y byddai e'n dod gyda ni, a dyna i chi bantomeim wedyn. Gydag Elfed ar y bwrdd, doedd dim angen corn niwl ac mae'n rhaid na welwyd morwr tebyg ers dyddiau Noa! Doedd amser yn golygu dim iddo; iddo ef, doedd dim gwahaniaeth rhwng dau o'r gloch y prynhawn a dau o'r gloch y bore. Doedd Elfed ddim yn gyfarwydd â hwylio, felly fe dreuliais i beth amser cyn mynd yn ei ddysgu fe i weithio rhaffau ar y coed y tu ôl i'r Pinwydd, lle dwi'n byw yn y Pwll. Yno y buon ni'n taflu rhaffau fyny i'r coed gan geisio dod ag e'n gyfarwydd â chodi neu ostwng hwyliau. Ond, yn y diwedd, gan nad oedd gan Elfed fawr o gliw yn forwrol, fe gafodd ei benodi'n gogydd!

Roedd Elfed wedi symud i'r ardal fel gweinidog ac fe fyddai e'n galw'n aml, weithiau tuag un o'r gloch y bore i sgwrsio am bob pwnc dan haul. Yma byddai e'n dod gyda'i ast, Tes Fach yr Haf. Roedd e wedi ei dysgu hi, medde fe, i ganu 'Hen Wlad fy Nhadau' ond, i mi, roedd hi'n swnio'n debycach i 'Hen Wlad fy Nadau'! Fel cefnogwr brwd o'r Sgarlets, roedd e'n mynnu hefyd ei bod hi'n medru canu 'Sosban Fach', ond roedd y ddwy dôn yn swnio'n union yr un fath.

Mae'n anodd disgrifio'r profiad o gael Elfed ar gwch. Roedd hi'n ddigon anodd dygymod ag e ar dir sych. 'Gwahanol', hwyrach, fyddai'r gair cymwys i'w ddisgrifio. Beth bynnag, fe hedfanodd e allan i Agen gyda fi ac fe gyrhaeddodd Mervyn y diwrnod wedyn. Pan gyrhaeddodd hwnnw, y peth cynta ddigwyddodd oedd i Elfed roi ei droed lawr a dweud wrtho mai fe oedd y bòs. Doedd neb yn mynd i'w drin e fel gwas bach. Ond fe fodlonodd fod yn gogydd i ni ac ae aeth drwy ddwsinau o duniau cawl.

Araf iawn oedd ein teithio, tua phum milltir yr awr, am fod y cwch yn tynnu tua phum troedfedd o ddŵr o dan ei waelod ac roedd gofyn bod yn ofalus iawn o'r cychod oedd yn dod i gwrdd â ni. Ar y ffordd i Toulouse roedden ni'n hwylio trwy winllan, lle gwnaethon ni benderfynu angori am y nos. Mae'r ardal yn enwog am ei gwin *Pinot Noir*. A dyma Elfed yn ymddangos ar y dec, gan edrych yn hynod daclus a thrwsiadus a hyd yn oed wedi cribo'i wallt. Yn sydyn, roedd e wedi penderfynu y byddai'n ymweld â pherchennog y winllan, er na wydde fe pwy ar y ddaear oedd hwnnw na ble oedd e'n byw. Ac i ffwrdd ag e. Roedd hi'n olau dydd glân pan adawodd e ond yna fe aeth hi'n nos, a dim sôn amdano'n dod 'nôl. O'r diwedd, dyma fe'n ymddangos gyda llond ei gôl o boteli gwin. Roedd e wedi bod yn dal pen rheswm â pherchennog y winllan, a hwnnw ddim yn medru siarad gair o Saesneg. Doedd dim problem, yn ôl Elfed; roedd e wedi siarad Cymraeg â'r dyn, a hwnnw'n ei ateb yn Ffrangeg!

Yn Toulouse fe ddaeth yn bryd i newid criw, ac adre â ni. Ychydig wyddwn i bryd hynny mai dim ond ychydig dros bum mlynedd oedd ar ôl gan Elfed. Fe fu farw'n sydyn yng nghartref ei chwaer ym Mhontypridd ar 12 Chwefror 1999. Roedd y gwasanaeth coffa yng Nghapel Nazareth, Pont-iets, yn fwy fel cwrdd diolchgarwch na gwasanaeth angladdol gyda mwy o chwerthin nag o ddagrau. Un fel hynny oedd Elfed. Fe wnaeth e godi calon pawb a ddaeth i'w adnabod.

Fe dreuliais i fis adre cyn i fi ailgychwyn y fordaith ac fe ddes i 'nôl gyda dau griw newydd, Nick Carter, cyn-aelod o'r Llynges, a Richard Thorpe, cyfaill arall. Ymlaen â ni i Narbonne, ac yno fe gawson ni dipyn o fraw wrth i ni glywed ergyd gwn, a gweld yno ar y lan griw o sipsiwn yn ymladd. Wnaethon ni ddim oedi yn y fan honno. Yn nes ymlaen fe aeth Richard a finne i brynu disel gan fod y tanciau'n isel. Pan ddaethon ni 'nôl, roedd llygod mawr i'w gweld ym mhob man yn heidio o gwmpas y lanfa a hyd yn oed yn ceisio byrddio'r cwch. Roedd Nick yn saethwr da ac wedi cystadlu yn Bisley ond yn anffodus doedd ei ddryll ddim gydag e. Ar unwaith fe wnaethon ni gau'r hatsys, neu fe fydden ni wedi cael cwmni digon gwrthun am weddill y fordaith.

Dyma gyrraedd Môr y Canoldir a hwylio am ychydig ddyddiau i Roses ar arfordir y Costa Brava yn Sbaen. Fe arhoson ni am ychydig ar y tir mawr i baratoi ar gyfer y fordaith i Menorca a thynnu'r planciau a'r teiers a oedd o gwmpas y cwch i'w ddiogelu rhag difrod. Er mwyn cael lle i aros, yn hytrach na chysgu ar fwrdd y cwch, fe wnes i angori ar lanfa gyfleus. Pan ddes i 'nôl dyma ganfod i fi angori wrth lanfa'r Comodor. Doedd hynny ddim yn beth doeth i'w wneud, a buan y symudais i. Beth bynnag, y bore wedyn fe godon ni angor ac, ar ôl gwrando ar ragolygon y tywydd a sicrhau na fyddai storm yn debygol, fe anelon ni am Fornells ar arfordir gogleddol Menorca.

Pentre bach pysgota o tua mil o drigolion ar lan bae a harbwr prydferth yw Fornells, lle da ar gyfer dal cimychiaid. Sefydlwyd y lle yn bennaf fel amddiffynfa rhag môr-ladron yn y ddeunawfed ganrif. Mynedfa fach gul sydd i'r bae, a hynny'n ei wneud e bron iawn yn llyn. Mae'r adeiladau gwyn, glas ac ocr yn wledd i'r llygaid ac wrth i ni gyrraedd a haul y bore'n codi dros y goleudy, roedd yn union fel petaen ni'n edrych ar gerdyn post.

Fe barodd y fordaith, rhwng seibiannau adre, gryn dri mis i gyd. Fe wnes i ystyried angori'r cwch yn barhaol yn Fornells ond, yn anffodus, mae e'n agored i wyntoedd cryfion y gogledd – iawn yn yr haf, ond nid y lle i adael cwch dros y gaeaf. Felly, ar ôl sefyll dros nos fe wnaethon ni, yn hwyr y diwrnod wedyn, godi angor a hwylio am Port d'Addaya ar yr arfordir gogledd-ddwyreiniol, ac yno y gadewais i'r cwch am flwyddyn. Mae e'n lle hyfryd, yn boblogaidd iawn gan ddeifwyr a syrffwyr. Ond mae e hefyd yn ddelfrydol ar gyfer gwneud dim byd mwy na nofio a segura.

Roedd angen gwaith cynnal a chadw ar y cwch, ac fe benderfynais i fynd ag e 'nôl adre gan ei hwylio draw i Barcelona ac yna ei lusgo ar drelyr yr holl ffordd yn ôl i Gymru. Ar ôl gweithio arno yn Neyland am sbel fe wnes i ei werthu, a hynny i drefnydd angladdau gan fod ei gynnig yn un rhy dda i'w wrthod. Ond rown i wedyn yn teimlo ar goll yn llwyr heb gwch.

Rown i'n awyddus i ymweld yn rheolaidd ag ardal Môr y Canoldir o hyd ar ôl dod i fwynhau ymweld â Menorca a dod i adnabod llawer o bobol yno. Yn wir, rown i wedi ymuno â band yng Nghlwb San Clemente ac yn chwarae yno bob nos Iau.

Ar wyliau yn 2001 fe wnes i ymweld â Port de Pollenca yng ngogledd Mallorca, lle mae clwb hwylio a marina enfawr. Rown i'n awyddus i ymweld â Mallorca yn un peth oherwydd cysylltiad y lle â Chopin, un o'm hoff gerddorion, gan iddo dreulio rhai misoedd yn Valldemossa gyda'r awdures George Sand, ac mae ei biano fe i'w weld mewn amgueddfa yn y dre o hyd.

Ym marina Port de Pollenca fe ddigwyddais gwrdd â pherchennog cwch oedd ar werth. Edrychai'r hen gwch, wedi ei angori ar Lanfa 4, yn drist iawn, y paent wedi pylu ac angen llawer o waith arno. Doedd dim byd ynddo o ran offer, dim ond morthwyl a hwnnw wedi ei osod â'i ben i waered er mwyn dal swits y peiriant awyru yn ei lle. Ond fe sylweddolais i fod yna botensial iddo a dyma daro bargen â'r dyn a dod yn berchennog y *Talahaut*. Rwy'n bwriadu newid ei enw i naill ai *Creole 4* neu *Creoleto*, er mwyn parhau'r traddodiad.

Treillong hwylio deugain troedfedd yw'r *Tallahaut,* gyda sgriw dwbwl a dwy injan ddisel 120 marchnerth, wedi ei hadeiladu yn Taiwan o bren tîc. Mae hi'n medru cyrraedd tua 12 milltir môr yr awr, sy'n cyfateb i tua 15 milltir yr awr ar y tir. Dyma'r cwch gorau i fi ei gael erioed gan fod cymaint o le arno ac ers i fi ei brynu rwy wedi bod yn Port de Pollenca ac yn cysgu ar y *Talahaut* o leiaf bedair gwaith bob blwyddyn, ac yn amlach fyth yn ddiweddar. Mae lle i bedwar gysgu arno'n gyffyrddus, gyda gwely dwbwl yn y caban ôl a dau wely sengl yn y caban blaen, ac os oes angen, fe all dau arall gysgu yn y salŵn. Mae'n ddiffwdan iawn hedfan o Faes Awyr Caerdydd i Palma a dal bws neu dacsi i'r marina.

Ychydig filltiroedd i ffwrdd o'r porthladd mae hen dref Pollenca gyda'i marchnad awyr agored. Mae rhyw naws ac awyrgylch hynafol ynglŷn â hi ac mae'n werth ymweld â'r lle petai ond er mwyn gweld Calfari, lle mae 365 o risiau yn arwain heibio i res o groesau i fyny at eglwys ar y bryn. Fe fydda i wrth fy modd yn mynd i Pollenca am bryd o fwyd a glasied o win. Rwy wedi gwneud llawer o ffrindiau yn yr ardal ac fe fydda i, ar ddydd Sul, yn chwarae'r clarinét gyda band lleol yn y porthladd yn nhŷ bwyta El Ancla, sef Catalaneg am yr angor. Yn y band mae Catcho yn chwarae'r *tenor sax*, Louis ar y drymiau, Guilamo ar yr alto sax a Santiago Bo ar y piano, Catalaniaid i gyd.

Digwydd galw yn El Ancla wnes i un diwrnod a chlywed y band yn chwarae 'Since My Best Gal Turned Me Down', un o glasuron Bix Beiderbecke. Dechreuais sgwrsio â Santiago, a'r Sul nesaf rown i'n perfformio gyda nhw gan chwarae rhai o'r clasuron, 'Jazz Me Blues' a 'Royal Garden Blues', 'All of Me' a 'Satin Doll'. Yn ogystal â chwarae yn y band fe fydda i hefyd ar adegau yn chwarae mewn deuawd gyda Juliamo. Man arall lle bydda i'n chwarae yw yn y Clwb Plymio yn Cala Rajata ychydig i'r dwyrain o'r ynys.

Rwy'n teimlo bod miwsig yn iaith ryngwladol nad oes arni angen geiriau, un sy'n croesi ffiniau ac yn clymu pobol gyda'i gilydd, ac mae'n ffordd dda o wneud ffrindiau. Un noson yn El Ancla fe wnaethon ni gwrdd â Dafydd a Val o Gricieth sy'n mynd allan yn aml yr un pryd â ni, Dafydd a finne'n mwynhau nofio, a Val a Rosemary hefyd yn siario'r un diddordeb, sef gwnïo. Yn wir, fe fydda i'n cwrdd â llawer o Gymry yn Port de Pollenca a chan fod baner y Ddraig

Goch a baner Glyndŵr yn hedfan ar y cwch fe fydda i'n aml yn clywed rhywun yn fy nghyfarch yn Gymraeg o'r lanfa.

Diolch i'r Harlem Blues and Jazz Band fe wnes i deithio'n helaeth drwy America. Fyny i'r gogledd cefais gyfle i ymweld â Montreal a Toronto yng Nghanada a 'nôl i'r Llynnoedd Mawr, Rhaeadr Niagara a Chicago. Daliais ar y cyfle unwaith i ymweld â llwyth Indiaid y Seneca, sef Pobol y Mynydd yn Nhalaith Efrog Newydd. Teithiais o Efrog Newydd i Baltimore ac ymweld ag Amgueddfa'r Brodyr Wright yng Ngogledd Carolina, canolfan y Llynges yn Norfolk Virginia a'r safle ar Cape Cod lle danfonodd Marconi ei neges radio gyntaf dros Fôr Iwerydd i Benrhyn Lavernock ger Penarth. Ymweliad cofiadwy arall oedd hwnnw â Chanolfan Gelfyddydol Saratoga lle gwnes i gyfarfod â Benny Goodman, Gene Krupa a Teddy Wilson.

Bu'r band yn gyfrifol am amryw o deithiau ar y Cyfandir drwyddo draw gan gynnwys perfformio yng Ngŵyl Jazz Ghent ac yng Ngwlad Belg y gwnes i ddod yn ffrindiau mawr â Rene Savels o Mechelen. Yr unig offeryn y gall Rene ei chwarae yw'r sgrîn olchi! Ond mae e'n ffanatig lle mae jazz yn y cwestiwn. Mae e hefyd yn artist arbennig o dda ac mae nifer o'i luniau'n hongian ar waliau'r lolfa yn fy nghartref.

Rwy wedi ymweld ag India'r Gorllewin hefyd fwy nag unwaith. Fel arfer, fe fydden ni'n perfformio yn Efrog Newydd, hedfan lan i Boston ac oddi yno hedfan i Miami ac ymlaen wedyn i Nassau gan aros yn Ocean Spray. Fe fyddai llongau teithio mawr yn dod mewn o bob rhan o'r byd ac fe fues i'n chwarae gyda band yno, cerddorion o Cuba. Un tro fe wnes i gwrdd â bachan o Crewe oedd yn gerddor mewn band ar un o'r llongau a chael fy ngwahodd ganddo ar fwrdd y llong am swper a wedyn fe wnes i ymuno â'r band mewn cyngerdd i'r teithwyr.

Dro arall yno rown i'n siarad â rhywun oedd yn gweithio mewn banc a hwnnw a'i wraig yn aelodau o gwmni theatr yn Nassau. Fe wnes i ymuno â nhw wedyn am ginio a chwrdd â bachan ffeind iawn. A dyma ddweud hynny wrth y gweithiwr banc a'i wraig. 'O, dydyn ni ddim yn siarad â hwnna,' medde gwraig y dyn banc. 'Fe wnaeth e wneud cais i fod yn Comodor y Clwb Hwylio. Yn wir, fe ddaeth e mor bell â'r rhestr fer ond, diolch byth, fe wnaethon ni ganfod jyst mewn pryd fod ôl y brwsh tar arno fe.' Ydi, mae hiliaeth yn dal yn fyw ac yn afiach, ac mae e fel tân ar fy nghroen i. Meddyliwch, collfarnu rhywun â genedau dyn du yn ei waed, ac yntau – yn wahanol iddi hi – yn ei wlad ei hun.

Yn India'r Gorllewin wedyn, gyda Rosemary – yn Barbados y tro hwn – rown i yn nofio y môr a Rosemary'n torheulo. Daeth dau fachan ifanc fyny ati a gofyn iddi a oedd ganddi sigarét gan eistedd gyda hi i sgwrsio. Fe ddes i allan o'r dŵr i ymuno â nhw a siario poteli cwrw â nhw. Yna dyma nhw'n ein gwahodd ni i farbiciw yng ngardd y tŷ lle'r oedden nhw'n lletya a chychwyn wedyn ar chwarae miwsig carioci, ac fe'n synnwyd ni wrth glywed tonau Cymraeg Nadoligaidd. O ddeall fy mod i'n chwarae'r clarinét, dyma un o'r bechgyn yn dweud fod ei dad yntau wedi bod yn chwarae'r *tenor sax* yn Norwy. Yn wir, roedd e wedi chwarae i Ella Fitzgerald a dyma fe'n datgelu ymhellach fod ei dad wedi bod yn gariad i Ella Fitzgerald a hithau'n canu iddo wrth geisio'i gael i fynd i gysgu gyda'r nos. Wedyn gwnes i ganfod mai enw'i chariad oedd Thor Einar Larsen, ac roedd yna si i'r ddau briodi'n gyfrinachol.

Rwy wedi bod ar ambell fordaith bleser ac wedi ymuno â gwahanol fandiau ar fwrdd y llong. Ond fy hoff fannau yw Mallorca a Menorca gan 'mod i'n hoff iawn o'r Sbaenwyr. Mae ganddyn nhw ddigon o amser, a fyddan nhw byth yn rhuthro. Erbyn hyn fe fedra i siarad rhywfaint o'r iaith ond mae Margery, fy chwaer, yn siarad yr iaith yn rhugl. Mae hi'n treulio hanner y flwyddyn yn Benalmedina ger Malaga yn Sbaen a'r hanner arall adre yn y Cei Newydd a bu Malcolm, ei gŵr, yn Gomodor y Clwb Hwylio yno.

Rhwng y miwsig a'r môr rwy'n ddyn hapus iawn. Tonnau a thonau. Mae rhythmau'r naill a'r llall yn hudolus.

Pennod 6

Fe wnes i weithio fel Warden Canolfan Addysg Bellach y Pwll tan 1979. Rown i hefyd yn rhedeg ysgol gelf ac un o'r rhai fyddai'n galw'n rheolaidd yn y Ganolfan oedd yr hen gyfaill Ray Gravell. Bob tro y byddwn i'n ei weld e fe fydde fe'n gofyn i fi pwy oedd Peanuts Hucko a finne'n dweud wrtho mai ef oedd clarinetydd Glenn Miller. Ond wnâi e byth gofio; hyd yn oed petaen ni'n cymryd rhan ar raglen radio neu deledu gyda'n gilydd, fe fydde fe'n siŵr o ofyn pwy oedd Peanuts Hucko. Cyn hir, fi oedd Peanuts Hucko i Grav. Yn ei gar, byddai'n weindio'r ffenest lawr a gweiddi'r enw arna i a phan fyddem yn cwrdd â'n gilydd ar y stryd, yr un fyddai'r stori. Gwaedd uchel o 'Peanuts Hucko! Shwd wyt ti, achan!' Mewn gwirionedd, rown i wedi cwrdd â Peanuts Hucko gydag Earl 'Fatha' Hines a Jack Teagarden flynyddoedd yn gynharach yn y Maendy yng Nghaerdydd.

Mae ardal Llanelli heb Grav yn lle gwag a thawel iawn; fe fyddwn i'n siŵr o'i glywed e cyn ei weld e. Welais i neb erioed â chynifer o ddiddordebau, a gallai sgwrsio ar bob pwnc dan haul. Llais mawr, calon fawr, enaid mawr, dyn mawr. Dyna Grav, a'r Cymro mwyaf oedd yn bod. Mae e i'w glywed yn canu 'Sospan Fach' gyda'r band ar fy CD, *Wyn a'i Fyd*.

Roedd y Ganolfan wedi datblygu i fod yn atynfa arbennig, yn addysgol ac yn adloniadol, ac yno lwyfan a phiano, dau anghenraid i fi ar gyfer yr ochr gerddorol. Ac yna fe ddigwyddodd rhywbeth pwysig iawn yn fy mywyd i: yn 1975, bedair blynedd cyn ymddeol, fe wnes i ailbriodi, ar ôl bod yn sengl am dros chwarter canrif. Yn ystod y cyfnod hwnnw dim ond mewn un berthynas o bwys y bues i a nawr, er gwaethaf llwyddiant y Ganolfan, rown i'n mynd trwy gyfnod anodd iawn. Rown i'n isel fy ysbryd ac ar dabledi. Yna, un noson wrth chwarae fel gwestai mewn band yng Nghlwb Jazz Aberhonddu, fe sylwais i ar y ferch yma mewn coch llachar yn y gynulleidfa. Roedd hyn tua mis Mai. Fe wnaethon ni gael sgwrs, ac o dipyn i beth fe ddaethon ni'n eitem, ac fe wnaethon ni briodi cyn diwedd y flwyddyn.

Merch o Lanfyllin yw Rosemary ac roedd hi'n gweithio fel athrawes addysg grefyddol a chwaraeon yn Ysgol Gwernyfed yn

Priodas Rosemary a finne yn Aberhonddu yn 1976

Aberhonddu. Fe fyddwn i'n perfformio yng Nghlwb Jazz Aberhonddu tua unwaith y mis, felly fe fydden ni'n dueddol o gwrdd yn rheolaidd. Ar ôl dod i adnabod ein gilydd fe wnaethon ni drefnu un dydd Sul i gwrdd yn Llanfair-ym-Muallt a minnau'n teithio draw ar y trên a hithau yn ei char glas newydd. Ar ôl galw gyda'i chwaer am de yn Aberhonddu fe deithion ni fyny i'r gogledd am Froncysyllte gan aros ar y ffordd a pharcio ar lecyn hyfryd uwchlaw dyffryn hardd. Ond cyn i ni fynd allan o'r car fe wnes i berswadio Rosemary i symud y car a'i barcio'n nes at ymyl y dibyn. Allan â ni a lawr i'r gwastadedd islaw at lan yr afon. Ond, yn sydyn, dyma droi i edrych fyny, a gweld y car yn cripian yn araf ymlaen, a heb i ni fedru gwneud dim i'w atal, i lawr ag ef dros y dibyn i'r cae lle safem ni. Fe ddisgynnodd ar ei drwyn ac fe fu'n rhaid cael cymorth ffermwr lleol a'i dractor i lusgo'r car newydd yn ôl i'r ffordd fawr. Roedd ei drwyn e'n fflat. Ac wrth i ni yrru'n gloff tuag adre fe benderfynais ofyn i Rosemary fy mhriodi. Ac, er gwaetha'r ffaith mai fi oedd ar fai am y ddamwain, fe atebodd 'Gwnaf'. Rwy'n siŵr iddi gymryd trugaredd drosta i.

Roedd Rosemary am i ni briodi ar Ŵyl San Steffan, ond roedd Llanelli'n chwarae gartref ar y diwrnod hwnnw yn y ddarbi flynyddol

Rosemary yng ngardd y Pinwydd rhwng y Pwll a Phorth Tywyn

yn erbyn y Jacs. Felly roedd priodi ar y diwrnod hwnnw allan o'r cwestiwn ac felly fe benderfynon ni briodi'r diwrnod wedyn yn Aberhonddu, gyda Terry James, fy nghefnder, yn organydd. Dysgu siarad Cymraeg roedd Rosemary ar y pryd ac roedd y gweinidog, wrth adrodd y llw, yn siarad yn rhy gyflym iddi fedru ei ddilyn. Felly bu'n rhaid i fi ailadrodd yn araf y cyfan roedd y gweinidog yn ei ddweud wrthi, a hithau wedyn yn ei thro yn ailadrodd y llw yn ôl wrth y gweinidog.

Roedd gen i fyngalo gerllaw'r Ganolfan yn y Pwll, y drws nesaf i Mervyn, ac yno y gwnaethon ni setlo lawr. Yna, yn 1976, fe wnaeth Rosemary a finne symud i'n cartref presennol, Y Pinwydd, fyny uwchlaw'r Pwll a Phorth Tywyn. I rywun fel fi sy'n caru'r môr mae e mewn man delfrydol, gydag aberoedd tair afon yn ymestyn o'm blaen ac o ben y bryn mae yna banorama o olygfa. Fe wnaethon ni lawer o waith ar y tŷ dros y blynyddoedd, a chan fod Rosemary a finne'n dipyn o grefftwyr fe wnaethon ni'r gwaith ein hunain.

Erbyn 1979 fe wnes i ddod i groesffordd yn fy mywyd. Roedd yna ddadl yn fy mhen a ddylwn i ymddeol ai peidio. Doedd dim rheidrwydd arna i i wneud hynny am dair blynedd ar ddeg arall cyn dod i oed ymddeol. Ond rown i'n gweld Alwyn a Mervyn, y ddau wedi ymddeol, yn gyrru heibio'r Ganolfan bron bob dydd i chwarae golff yn Ashburnham, ac fe deimlwn i'n eiddigeddus iawn ohonyn nhw. Roedd Mervyn wedi bod yn dysgu, ac Alwyn hefyd wedi bod yn athro ac yn seicolegydd plant ac o'u gweld nhw'n mwynhau eu hymddeoliad gymaint, dyma benderfynu rhoi'r ffidil yn y to. Yn anffodus fe gollwyd Alwyn a Mervyn yn ystod yr wyth mlynedd diwethaf.

Roedd ymddeol yn gam digon anodd ei gymryd. Oeddwn, roeddwn i'n cael gigs yn weddol reolaidd gyda'r band. Ond a fedrwn i fyw ar hynny yn unig? Dim ond drwy gymryd y cam y medrwn i ateb

Rosemary a fi gyda'r wyres Ffion a'r ŵyr, Rhodri

y cwestiwn ac, o fewn mis, dyma sleisen dda o lwc yn dod i'm rhan. Roedd HTV yn awyddus i ddarlledu cyfres deledu newydd, *Y Byd yn ei Le*, sef rhaglen drafod dan gynhyrchiad Phill Lewis, a fyddai'n cynnwys cân dopicalaidd bob wythnos ar faterion y dydd. A gofynnwyd i fi a'r band fod yn ganolog i'r rhaglen gyda Vaughan Hughes yn holi a chantorion fel Gary Owen, Dyfed Thomas, Ray Gravell a Heather Jones yn canu'r caneuon. Fi, gyda llaw, wnaeth gyfansoddi'r arwyddgan.

Byddai pwnc dadleuol yn cael ei bennu bob wythnos, ac roedd angen cyfansoddi cân dopical ar dôn boblogaidd. Pan ddeuai gwybodaeth am destun yr wythnos ar fore dydd Llun byddwn yn ffonio beirdd fel Dic Jones neu John Gwilym Jones a'u cael nhw i gyfansoddi geiriau i'w gosod ar dôn o'm dewis i. Weithiau, os torrai stori gref byddai angen newid y testun a llunio cân wahanol. Beth bynnag, wnaethon ni ddim methu unwaith. Roedd y rhaglen yn mynd allan yn fyw, wrth gwrs, ac un tro, a Gary Owen yn canu, fe dorrodd y *Porta-prompt*, y peiriant bach ar y camera sy'n dangos y geiriau. Ond, chwarae teg, fe lwyddodd Gary i ddod drwyddi heb i neb sylweddoli bod dim byd yn bod. Aelodaeth y band bryd hynny oedd Brian Breeze, gitâr; Peter Lewis, drymiau; John Phillips, piano; Wyn Davies, bas; Mervyn fy mrawd ar y feibs a fi ar y clarinét. Fe

*Fi a Dill yn y Stepney yn Llanelli
ddiwedd y saithdegau*

redodd y gyfres am dair blynedd.

Wedyn daeth mwy o waith teledu fel actor wrth gefn ar gyfresi fel *Heliwr, Mwy Na Phapur Newydd* a *Dihirod Dyfed* ac ymhlith rhannau eraill fe wnes i chwarae rhan tad y llofrudd Ronnie Harris. I feddwl fy mod i'n gyfarwydd â'i weld e'n gyrru 'nôl ac ymlaen pan own i'n dysgu yn Nhalacharn! Yn yr un cynhyrchiad roedd Mervyn fy mrawd yn chwarae rhan ficer. Un tro, a ninnau ar ein ffordd yn y bws i'r set roedd rhywun mewn fan wedi parcio ar draws y ffordd ac yn gwrthod yn lân â symud i wneud lle i ni. Fe aeth Mervyn allan yn ei ddillad ficer gan regi'r dyn a chodi dau fys arno. Fe gafodd y dyn gymaint o sioc fel iddo symud ar unwaith.

Yn y cyfamser daeth mwy o gìgs. Ar wahân i gìgs ym mhob rhan o Gymru daeth galwadau mwy parhaol. Rhwng 1994 a 1999 bu'r band yn ymddangos yn rheolaidd yng nghlwb jazz Milffwrd yng ngwesty'r Lord Nelson. Yn y *Mercury*, y papur lleol, cariwyd pennawd yn fy nisgrifio fel 'The Man who puts the jazz in Milford'. Mynd ar ddydd Llun ar y trên y byddwn i ac aros dros nos. Byddai sesiwn hefyd yn yr ysgol gynradd gyda Bobby Main, tenor a thrymped, Billy Jenkins, piano, Nick Carter, bas, Derek Adams, trombôn, Paul Warrington, trymped, Ned Rolls, drymiau a fi ar y fibraffon a'r clarinét. Fe fydden ni'n perfformio tonau fel 'Satin Doll', 'I Can't Give You Anything But Love', 'Tin Roof Blues', a 'Lonesome Road' gan roi gwersi yn ystod y dydd i ddisgyblion ysgol. Ar y diwedd fe wnaeth band jazz yr ysgol berfformio 'C-Jam Blues'.

Fe fyddwn i hefyd yn darlithio ar hanes jazz. Yna daeth y *Trên Jazz* o Gaerfyrddin i Milffwrd ar ddydd Llun, a hynny'n wythnosol am flwyddyn gyda'r band yn chwarae ar y trên. Fe wnaethon ni recordio rhaglen ddwyawr hefyd gyda Meredydd Evans, ar fiwsig a ysbrydolwyd gan y Beibl. Yn canu roedd Ann Burrows, sy'n canu dwy gân hefyd ar *Wyn a'i Fyd*. Roedd ganddi lais hyfryd.

Yn y cyfamser roedd y teithiau tramor yn parhau. Yn ôl yr hen hanes roedd tair pererindod i Dyddewi gynt yn gyfystyr ag un

Dill, y maestro, yn anwesu'r allweddell

bererindod i Rufain. Yn y byd jazz mae'n debyg mai New Orleans fyddai'n cyfateb i Rufain Oes y Seintiau. Rwy wedi ymweld â New Orleans deirgwaith hyd yma, felly fe ddylwn i fod wedi sicrhau fy nhocyn yn saff ar gyfer nefoedd y duwiau jazz. Y tro cyntaf rown i'n aros gyda Dill yn Efrog Newydd ar ôl hedfan o La Guardia lawr i New Orleans. Rown i wedi ystyried mynd ar y trên ond fe gymerai ddiwrnod a hanner i gyrraedd pen y daith. Roedd Dill wedi fy nhrwytho ble i fynd a phwy i'w gweld ac, wrth gwrs, rhaid oedd mynd allan ar y *Natchez*, sef y rhodlong stêm enwog sy'n teithio ar hyd y Mississippi. Rhaid hefyd oedd ymweld â Preservation Hall, teml jazz New Orleans, a gweld – ymhlith eraill – Willie Humphrey ar y clarinét. Lle bach yw e, ddim yn annhebyg i hen dŷ teras Mam-gu gynt ym Marble Hall Road gyda dwy stafell ar y llawr wedi eu gwneud yn un. Uwchlaw'r drws hongiai cas trombôn a chas clarinét, un ar ben y llall. Syndod oedd canfod eu bod nhw'n chwarae'n gymharol dawel yno.

Rown i'n lletya mewn gwesty yn Charles Street, ac roedd Hywel Gwynfryn, ar gyfer y rhaglen foreol *Helo Bobol* ar Radio Cymru, wedi trefnu gwneud galwad ffôn ar gyfer sgwrs fyw. Roedd hi'n hanner awr wedi dau yn y bore yn New Orleans, a finne'n ceisio cadw ar ddihun. Yr unig ateb oedd mynd i'r pwll nofio, a'r rheolwr yn galw arna i ddod i ateb y ffôn.

Gyda Candy Ross (trombôn) a George Kelly (tenor sax) o'r Harlem Blues and Jazz Band

Yr ail dro fe wnes i fynd allan gyda Neil, y mab. Y gwesty'r tro hwn oedd La Pavilione, lle bach hyfryd. Unwaith eto, rhaid oedd mynd i'r Preservation Hall a'r tro hwn roedd arwydd ar y wal yn dweud: 'The Saints, five dollars. Others, one dollar.' Roedd y band wedi blino cymaint ar chwarae 'When the Saints Go Marching In' fel eu bod nhw'n codi mwy o arian am berfformio'r gân!

Unwaith eto hefyd penderfynwyd mynd allan ar y *Natchez*. Ond roedden ni'n rhy hwyr yn cyrraedd y doc a'r llong wedi gadael cyn i ni gyrraedd. A diolch am hynny gan iddi daro yn erbyn llong arall mewn storm a rhyw ddeg ar hugain o'r teithwyr yn cael eu hanafu. Fe aethon ni 'nôl i'r gwesty yn wlyb at ein crwyn, a'r storm yn rhuo. Ar y teledu fe gariwyd rhybudd i bawb gadw bant o'r strydoedd oherwydd bod aligators yn nofio yn y cwteri.

Y trydydd tro oedd yn 2008 pan es i yno gyda Neil eto gan hedfan o Gaerdydd i Amsterdam, ymlaen i Detroit ac yna lawr i New Orleans. Fe wnaethon ni letya yn Canal Street, prif stryd y ddinas yn yr ardal Ffrengig, neu'r *Vieux Carré*, a'r tro hwn rown i'n chwarae gyda'r Harlem Blues and Jazz Band yn yr Ŵyl Dreftadaeth. Fe wnes i hedfan y tro hwn o Gaerdydd i Amsterdam, ymlaen i Detroit ac yna lawr i New Orleans.

Gyda Johnny Williams, cyn-chwaraewr bas Louis Armstrong, yn Harlem

Roedd effaith cyflafan fawr Corwynt Katrina dair blynedd yn gynharach yn amlwg ym mhobman a phobol yn dal i fyw mewn carafannau, mewn pebyll a than y pontydd. Rown i'n teimlo'n euog iawn, fi'n lletya mewn gwesty moethus, a channoedd o gwmpas heb do sefydlog uwch eu pen a heb hyd yn oed ddŵr glân. Wedi'r storm roedd 80 y cant o'r ddinas tan ddŵr a chollodd dros 18,000 o bobl eu bywyd. Costiodd y storm dros $81 biliwn, y corwynt mwyaf costus mewn hanes. Fedrwn i ddim credu nad oedd yr Arlywydd Bush wedi gweld yn dda i ymweld â'r lle, dim ond hedfan drosodd o ddiogelwch ei hofrenydd.

Mewn un tŷ bwyta roedd band yn chwarae stwff y tridegau ac i ychwanegu at ysbryd y cyfnod roedd menywod, wrth ddawnsio, yn chwifio hancesi poced ac yn ysgwyd parasols. Y sawl a chwaraeai'r alto sax oedd Sammy Rimmington a phan ddaeth toriad fe wnes i fynd ato a dweud wrtho fy mod i'n gwybod ei fod e'n 68 mlwydd oed. Edrychodd arna i'n syn gan ofyn sut wyddwn i hynny? A dyma ddweud wrtho fy mod i'n ei gofio'n perfformio yn y Ritz yn Llanelli yn 1956 yn llanc un ar bymtheg oed gyda band Ken Colyer. Roedd e'n synnu fy mod i'n cofio.

O New Orleans fe benderfynon ni hedfan draw i Nassau yn y

Fi a Meic Stevens yn perfformio gyda'n gilydd yng Ngŵyl Jazz Aberhonddu

Bahamas ac ar y ffordd i'r maes awyr fe aeth y gyrrwr tacsi â ni ar hyd ffordd wahanol i'r arfer er mwyn i ni gael gweld lle claddwyd y gantores Mahalia Jackson, a hynny mewn arch o wydr. Fe wnaethon ni stopio, ac yno gerllaw roedd siop yn gwerthu drylliau a bwledi o bob math. A dyma feddwl y fath eironi oedd hyn: arfau marwolaeth yn cael eu gwerthu ger bedd cantores a fu'n canu caneuon heddwch.

Fedra i ddim peidio â meddwl byth a hefyd mor fach yw'r byd. Ym maes awyr Miami dyma gwrdd â dyn dieithr hollol a dechrau sgwrsio ag ef. Roedd e'n byw ar Paradise Island a dyma finne'n dweud fod gen i gefnder oedd â thŷ yno. Yn rhyfeddol, roedd e'n adnabod Terry James a oedd yn siario tŷ yno â Richard Harris, tŷ a gollwyd yn llwyr wedyn mewn storm drofannol. Fe aeth â ni draw i'r fan lle safai'r tŷ gynt. Doedd dim byd ar ôl, y cyfan wedi ei chwythu allan i'r môr. Gwahoddwyd ni gan y dyn dieithr wedyn i aros yn ei gartref pryd bynnag y mynnem.

Fe fu fy ymweliadau ag America bron i gyd â'r arfordir dwyreiniol. Ond un tro fe wnes i hedfan allan o La Guardia i Los Angeles ac ymlaen i San Francisco. Wedyn ymlaen i le o'r enw Cambria, lle y gwnaeth Cymry ymsefydlu unwaith. Fe wnes i chwarae gyda band lleol yno.

Gyda'r band Neges a ffurfiwyd gan Deian Hopkin (de) yng Ngŵyl Jazz Aberhonddu

Un o uchafbwyntiau fy nheithiau tramor oedd yr ymweliad ag Efrog Newydd yn 1993 gyda chriw ffilmio *Hel Straeon*. Ymweliad blynyddol ar gyfer chwarae gyda'r Harlem Blues and Jazz Band oedd hwn, ymweliad sydd hefyd wedi troi, er 1984, i fod yn bererindod er cof am Dill. Fe wnaethom ni aros yn yr Omni Park Hotel ger Central Park ar draws y ffordd i'r Carnegie Hall, lle yr ymddangosodd mawrion y byd jazz dros y blynyddoedd. Aethon ni i gartref Al Volmer, rheolwr y band, yn Larchmont ar gyfer ymarfer ac fe wnaethon ni berfformio mewn clybiau jazz fel The Red Blazer yn Midtown West Manhattan, y Cat Club yn Broadway a Sweet Basil yn Greenwich Village. Braint fu cael cyfarfod yn y Cat Club â'r trympedwr a'r canwr jazz chwedlonol Doc Cheetham, a oedd erbyn hynny yn ei nawdegau.

Canolfan arall y gwnes i chwarae ynddi oedd The Right Bank Cafe o dan bont Williamsburgh, gyda'r trympedwr Mike Lattimore, y drymiwr Wes Landers ac, wrth gwrs, Johnnie Williams ar y bas. Roedd y noson yn deyrnged i'r pianydd chwedlonol Shorty Jackson, a oedd wedi marw bythefnos yn gynharach. Yn unol â'i lysenw, un bach, fawr uwch na phedair troedfedd, oedd Shorty ond roedd e'n bianydd gwych iawn.

Enw'r rhaglen deledu ar gyfer S4C oedd *Pump Hewl i Harlem*, gan i ni gychwyn ar ein taith gyda gìg ar gyfer y camera ym Mhump

*Yn swydd Comodor y Clwb Hwylio yn croesawu'r ddwy ferch a ail-lwyfannodd
gamp Amelia Earhart pan laniodd ym Mhorth Tywyn*

Hewl ger Llanelli, a ninnau wedyn yn hedfan draw i Efrog Newydd,
gan ymweld â Harlem, crud jazz y ddinas. Fe aeth Johnny Williams â
ni ar ymweliad â Harlem, lle roedd e'n byw ger Sugar Hill, ardal
gyfoethocaf Efrog Newydd ar un adeg. Dangosodd i ni lle safai
theatrau fel yr Apollo, y Cotton Club, y Savoy, y Laffayette a Smalls
Paradise, y theatrau lle na châi perfformwyr duon fynd i mewn drwy'r
un drysau â'r gwynion. Heddiw dim ond yr Apollo sy'n sefyll.

Cyn 1873, pentref oedd Harlem a safai ar wahân i Efrog Newydd.
Er mai'r Iseldirwyr oedd y cyntaf i'w goloneiddio, gan ddwyn y tir
oddi ar yr Indiaid brodorol, y Lenape, daeth yn grochan rhyngwladol
gan greu getos i Iddewon, Eidalwyr, Sbaenwyr, Gwyddelod ac, wrth
gwrs, yr Affro-Caribïaid. Cychwynnodd y duon gyrraedd tua 1900 ac
erbyn canol y ganrif ddiwethaf, Harlem oedd prifddinas ddu
America.

Gwelodd y ddinas lanw a thrai. Bu'n ganolfan ddiwylliannol
Efrog Newydd cyn i'r Dirwasgiad a'r Ail Ryfel Byd ddod â diweithdra
yn eu sgil gan droi'r ardal yn ganolfan dorcyfraith y ddinas ynghanol
yr anobaith affwysol. Ond doedd dim chwerwder yn Johnnie wrth
ein harwain ni o gwmpas; dangosodd i ni lle yr arferai coeden, *The
Tree of Hope*, sefyll rhwng y Lafayette a Connie's Inn. Byddai

Chwarae gyda Bubba Brooks yn y Louisiana Club ar Broadway,
Efrog Newydd, yn y nawdegau

perfformwyr fel Ethel Waters, Fletcher Henderson ac Ubie Blake yn anwesu'r goeden lwyfen a byddai Johnnie a'r bechgyn duon eraill yn cyffwrdd â hi yn ôl yr hen draddodiad y deuai lwc i unrhyw un a wnâi hynny. Gobaith ofer, wrth gwrs. Torrwyd y goeden i lawr yn 1934 ond mae darn ohoni o hyd yn yr Apollo.

Fe symudodd jazz yn nes i lawr ym Manhattan, i Greenwich Village yn arbennig, ardal o fariau a chaffis lle mae llawer o bobol ifanc. Hon oedd ardal chwyldro ieuenctid cantorion gwerin fel Bob Dylan ddechrau'r chwedegau ac mae'r egni, sy'n para o hyd yno, yn ddealladwy gan fod Prifysgol Efrog Newydd gerllaw. Yno, gyda llaw, mae'r White Horse Tavern, hoff far Dylan Thomas.

Dydi gweld jazz yn symud, o ran lleoliadau ac arddull, ddim yn beth drwg gan fod angen trallwysiad gwaed o bryd i'w gilydd. Ond mae ambell newid yn dristach na'i gilydd. Erbyn dechrau'r nawdegau roedd rhai o hen sêr y band wedi'n gadael ac eraill wedi cymryd eu lle. Y trympedwr, er enghraifft, yn 1993 oedd Bill Dillard. Roedd e yn ei wythdegau erbyn hyn ac yn medru cofio'i gyfnodau'n chwarae gyda Jelly Roll Morton a King Oliver. Bob blwyddyn fe fyddwn i'n hedfan draw a gweld eisiau hen wynebau a chanfod rhai newydd. Wn i ddim ble roedd Al Volmer yn dod o hyd i'r hen fois yma o hyd ac o hyd.

115

Ar fwrdd y Talahaut *ym marina Port de Pollenca, Ynys Mallorca*

Yna, yn 1998, rown i 'nôl yno ar achlysur trist iawn, yng nghyfarfod coffa Johnny Williams, digwyddiad a ffilmiwyd ar gyfer *Heno* gan Agenda. Johnny oedd un o'r bobol anwylaf oedd yn bod. Ond cyn hynny, yn 1994 ar ddydd fy mhen blwydd yn 67 oed, cafwyd amgylchiad hapus iawn pan ffilmiwyd fi ar gyfer *Penblwydd Hapus*. Fedrwn i ddim credu fy llygaid, tua diwedd y noson, pan welais y band yn gyfan, Johnny yn eu plith, yn cerdded i'r llwyfan ym Mhorth Tywyn. Roedd e'n brofiad emosiynol iawn.

Doedd gen i ddim syniad bod yna drefniadau gan HTV i ddathlu fy mhen blwydd. Roedd y cyflwynydd, Arfon Haines Davies, wedi fy nhwyllo'n llwyr. Fe fu yna bwysau mawr ar Rosemary yn ystod yr wythnosau cyn hynny wrth gwrs, er mwyn sicrhau na fyddwn i'n dod i wybod am y digwyddiad.

Mae'r cyfryngau wedi bod yn garedig iawn wrtha i. Fe ges i gyfresi jazz ar *Wedi 3*, ar Radio Abertawe ddwywaith yr wythnos ac ar Radio Cymru a Radio Wales. Mae hi'n braf cael siarad am rywbeth sydd wedi bod yn rhan o'm bywyd i am ddeng mlynedd a thrigain. Pan own i'n bennaeth ar Ganolfan y Pwll fe wnes i ysgrifennu cyfrol ar hanes a datblygiad llunio offerynnau chwyth, gyda sylw arbennig i'r clarinét. Ac yn ddiweddar rwy'n falch o gael dweud fod Adran Addysg Cynulliad Cymru wedi cynhyrchu saith mil o gryno ddisgiau

Ar ymweliad teuluol â Rhufain yn yr wythdegau

ohono' i a'r band yn chwarae 'Croen y Ddafad Felan' ar gyfer disgyblion yn ysgolion Cymru.

Un fenter rwy'n falch o fod yn rhan ohoni yw Gŵyl Jazz Aberhonddu. Rwy wedi bod yn rhan ohoni ers yr Ŵyl Jazz Gymreig gyntaf yn y Chapter yng Nghaerdydd yn 1983 cyn iddi symud yn 1984 i Aberhonddu. Yn y fenter gyntaf honno yng Nghaerdydd rown i a'r band yn chwarae yno ac fe wnes i chwarae hefyd gyda Dill Jones a Humphrey Lyttleton.

Fe wnaeth Humph chwarae fy fersiwn i o 'Black Butterfly' gan Duke Ellington ar ei raglen radio unwaith gan osod dau gwestiwn i'r gwrandawyr – pwy oedd y clarinetydd? Ac o ba wlad roedd e'n dod? Ac fe fuodd e'n ddigon caredig i ddweud pethe neis amdana i. Roedd e'n hoff iawn o Gymru gan ei fod wedi byw am gyfnod yn Felindre pan oedd e'n gweithio yng ngwaith dur Porth Talbot ac wedi clywed caneuon Cymraeg yn cael eu canu yng nghlwb cymdeithasol y gweithwyr ac yn y tafarndai yno. Y tro diwethaf i fi chwarae gydag e oedd yn Neuadd y Farchnad yng Ngŵyl Jazz Aberhonddu yn 2007. Wrth ffarwelio ag e'r noson honno fe ddywedais wrtho y gwelwn i ef yno'r flwyddyn wedyn eto, ac addawodd y byddai yno. Gwaetha'r modd bu farw ym mis Ebrill y flwyddyn wedyn heb fedru cadw'i addewid.

Mae llawer o'r mawrion wedi perfformio yng Ngŵyl Jazz Aberhonddu. Dyna i chi Lionel Hampton, Clark Terry, Slim

117

*Jamio gydag aelodau'r Harlem Blues and Jazz Band: George James (alto sax),
Johnny Williams (bas) a Frank Williams (trymped)*

Gaillard, George Melly, Slam Stewart, Scott Hamilton, Bruce Turner
a George James, sy'n gyn-aelod o fand Louis Armstrong a'r Harlem
Blues and Jazz Band, wrth gwrs. Un flwyddyn rwy'n cofio taro ar
Meic Stevens yn yr ŵyl a gofyn iddo ymuno â ni i chwarae *blues*.
Rown i'n teimlo'n ddrwg am nad oedd Meic erioed wedi cael
gwahoddiad i chwarae yno. Gyda band jazz Mike Harries yng
Nghaerdydd y cychwynnodd Meic ei yrfa gerddorol ac mae e'n
berfformiwr *blues* gyda'r gorau sy'n bod ac fe fydda i'n edrych ymlaen
at unrhyw gyfle i berfformio gyda Meic. Un a oedd yn hollbresennol
yn yr ŵyl oedd George Melly a ganodd gyda ni fel gwestai yng
Nghwmbrân unwaith. Roedd e wedi dechrau dysgu Cymraeg. Fe
gyrhaeddodd e ar ei foto-beic yn gwisgo helmet felen ac yn cario bocs
yn dal chwe photel o win. Fe geisiodd e siarad ambell air o Gymraeg
y noson honno, ond methu wnaeth e. Effaith y gwin, siŵr o fod!

Fu yna ddim Gŵyl Aberhonddu yn 2009, ond mae cynlluniau ar
hyn o bryd i ailgychwyn yn 2010. Dydi cael toriad ddim yn beth drwg
i gyd. Mae hwn yn ddiwedd cyfnod a bydd modd nawr ailddechrau
gydag offerynwyr ifanc, a tho newydd. Rwy'n gweld mwy a mwy o
offerynwyr ifanc fel y delynores Catrin Finch, y clarinetydd Rhys
Taylor a'r pianydd Iwan Llywelyn Jones yn cael rhan yno gyda

Dosbarth radio a morwriaeth yn y Coleg Addysg Bellach, Caerfyrddin

cherddoriaeth fwy cyfoes. Mae hwn yn gyfnod iach i jazz yng Nghymru gyda mwy a mwy o bobl ifanc yn ymddangos.

Mae pob cenhedlaeth yn dod ag elfennau newydd i jazz. Yn ystod fy ieuenctid i, jazz clasurol oedd yn boblogaidd. Ellington, Basie, Armstrong, Harry James wedyn, Cymro gyda llaw. Fe wnes i gwrdd ag e unwaith. Roedd y teulu'n byw yn Tin Street yng Nghaerdydd cyn iddynt symud i America adeg y Rhyfel Mawr. Fe fu ei dad yn gweithio mewn syrcas, ynghyd â Harry ei hun. Aeth Harry ymlaen i briodi'r actores Betty Grable.

Mae'r cerddorion a enwais i gyd wedi mynd bellach ac mae eraill wedi dod yn eu lle. Fedrwch chi ddim byw yn y gorffennol a rhaid derbyn bod lle i bob arddull a steil mewn jazz, gan gynnwys miwsig electronig. Hwyrach bod llai o enaid yn y miwsig modern a'i fod e'n fwy mecanyddol, ond rwy'n falch o weld elfennau newydd yn dod i mewn. Stori'n perthyn i gyfnod yw stori jazz clasurol traddodiadol ac mae'r cyfnod hwnnw wedi mynd. Felly, yn Aberhonddu, dyma'r amser i ailgychwyn gyda thudalen lân.

Enghraifft dda o'r hyn dwi'n ei ddweud yw Deian Hopkin. Pan oedd e'n grwt yma yn Llanelli fe fyddai ei fam yn mynd ag e i Lambed a mannau eraill i wrando arnom ni'n perfformio. Fe ddatblygodd

Perfformio gyda Santiago Bo a chyfaill yn Cala Rajata, Mallorca

wedyn i fod yn bianydd gwych, ond gydag arddull gwbl wahanol i ni. Yna, fe drodd at jazz modern ac rwy'n cofio amdano yn 1966 yn cystadlu, ac yn ennill y gystadleuaeth i offerynwyr jazz yn yr Eisteddfod Ryng-golegol yn Aberystwyth, a Russ Jones a finne'n beirniadu. Wedyn fe aeth e ati i ffurfio'r grŵp Neges, a chwaraeodd yn Aberhonddu. Rwy'n cofio hefyd amdanom yn 1979, ar y diwrnod wedi canlyniad trist y Refferendwm, a Deian yn chwarae gyda ni yn y Marine yn Aberystwyth, a'r ddau ohonon ni'n ddiflas dros ben. Y noson honno roedd gan y ddau ohonom hawl i ganu'r *blues*.

Ond beth yw jazz? Dyna gwestiwn a ofynnir i fi byth a hefyd ac mae'n gwestiwn anodd i'w ateb. Mae e fel holi beth yw cariad, fel ceisio disgrifio cân aderyn. Mae gan bob un ei lais ei hunan ac mae gan bob cenedl ganeuon y gellir eu haddasu'n donau jazz. Yn Gymraeg, dyna i chi 'Tra Bo Dau' a 'Dafydd y Garreg Wen' sy'n addasu'n hawdd. Yr hyn i'w wneud yw cadw'r cyfansoddiad ond newid yr acen a datblygu'r melodi. Ac mae disgyblaeth yn hollbwysig.

Rwy'n cofio chwaraewr bas oedd gen i unwaith, Hubert Hughes, yn dweud wrtha i un noson ar y ffordd i gìg yn y Llwyn Iorwg yng Nghaerfyrddin, 'Wyn, rwy'n gwybod bellach beth yw jazz. Telepathi ymenyddol.' A doedd e ddim yn bell iawn o'i le. Ond mae'r cyfan yn

Gydag Ardis Timmis ar fwrdd y llong danfor enwog y
Nautilus *ym Mystic, Connecticut*

mynd 'nôl i'r un man: yn y gwraidd, asiad o gerddoriaeth Affro-Americanaidd yw e a rhythm yn gwbl ganolog. Ac yn arbennig *gospel* a'r *blues*, miwsig a anwyd allan o'r fasnach gaethweision, yr alltudiaeth greulon, y cystwyo a'r llofruddio, y gwaith di-baid yn y meysydd cotwm.

Mae'n loes calon i fi ein bod ni'r Cymry wedi chwarae rhan allweddol yn y fasnach afiach hon. Byddai llawer o'r caethweision yn gorfod mabwysiadu cyfenw eu perchennog ac mae'r ffaith fod cynifer o bobol ddu wedi cael cyfenwau Cymreig yn siarad cyfrolau. Y mae hyn yn amlwg ymhlith cerddorion jazz. Dyna i chi'r cyfenw Williams yn unig: Johnny Williams, y cyfansoddwyr Clarence a Spencer Williams, Frank Williams, Bobby Williams, Cootie Williams a Mary Lou Williams a llawer, llawer mwy. Miles Davis ac Eddie 'Lockjaw' Davis wedyn a Quincy Jones. A George Lewis a George James, a Calvin Edwards y gitarydd. A dyna i chi Earl 'Bud' Powell, a Kid Thomas, er mai Valentine oedd y cyfenw a roddwyd iddo gyntaf.

Ac mae yna wahaniaeth rhwng dehongliad perfformwyr duon o hwyl a'r *blues* a dehongliad y dynion gwyn, a dyna'r cynhwysyn cyfrin y bu Dill yn chwilio amdano gydol ei oes. Mae rhythm yn rhan reddfol o natur y bobol ddu ac mae e mor naturiol ag anadlu iddyn

121

Noson Penblwydd Hapus *yng nghwmni'r Harlem Blues and Jazz Band:*
Bill Nichols, Al Casey, Johnny Williams, Al Vollmer, Freddie Smith a Bubba Brooke

nhw. Wedi mabwysiadu miwsig y dyn du mae'r dyn gwyn. Roedd dinas Chicago wedi ei rhannu yn ôl arddull y miwsig a chwaraeir yno, miwsig y gwynion yn y North Side a'r duon yn y South Side, ac fe fydde cerddorion gwyn fel Artie Shaw, ar ôl gwaith, yn mynd i'r South Side i wrando ac i ddysgu arddull y dyn du.

Roedd gan y duon slogan, 'Mae gen i hawl i ganu'r *blues*', ac fe recordiodd Louis gân a seiliwyd ar y dywediad, 'I gotta right to sing the blues, I gotta right to feel low down.' Oedd, ar ôl canrifoedd o gaethwasiaeth a chamdriniaeth. Mae clywed pobol wynion yn perfformio stwff y bobol ddu fel gwrando ar emynau'n cael eu canu mewn eglwys.

Yn bennaf, nid rhywbeth i siarad amdano neu i ysgrifennu neu ddarllen amdano yw jazz. Teimlad yw jazz. Fe es i allan i angladd Johnny Williams yn Efrog Newydd yn 1998 gyda chriw ffilmio Agenda'n hedfan mas gyda fi ac ar y ffordd draw fe wnaeth y cyflwynydd, Angharad Mair – chwarae teg iddi – fynd i'r drafferth ar yr awyren i ddarllen llyfr ar hanes jazz er mwyn hwyluso ei holi. Ond all llyfr ddim o'ch goleuo chi. Fe all olrhain hanes jazz, fe all olrhain hanes cerddorion, ond all e ddim esbonio jazz. Mae e ynddoch chi, neu dyw e ddim. Fe gafwyd yr ateb perffaith unwaith gan Fats Waller pan ofynnodd rhyw fenyw iddo fe, 'Tell me, Mr Waller, what is this thing they call jazz?' Ateb Fats oedd, 'Madam, if you gotta ask, I guess

Cwrs jazz yng Nglanyfferi, 2005

you'll never know.' Mae rhai'n priodoli'r stori i Louis Armstrong. P'un bynnag sy'n gywir, mae'r ateb yn berffaith.

I chwarae jazz mae angen i chi ddysgu cordiau, dysgu harmonïau ac, yn bennaf, dysgu gwrando. Fe fedrwch chi gael cerddorion gwych sy'n medru darllen miwsig ar gopi mor hawdd â darllen *Rhodd Mam* ond yn aml mae yna berygl bod yn rhy gaeth i gopi. Dyna'r math ar gerddorion, petai cleren yn disgyn ar eu copi, fyddai'n chwarae honno hefyd! Mae'r glust i fi yn bwysicach na'r llygad ond, ar ben hynny, heb deimlad, does ganddoch chi ddim byd. Mae'r galon mor bwysig, os nad yn bwysicach na'r ymennydd.

Er bod yna ddigon o le i amrywiaeth o fewn y dôn, y mae yna batrwm cydnabyddedig i jazz traddodiadol. Yn gyntaf bydd y band yn gyfan yn chwarae'r dôn, y trymped yn chwarae'r alaw a'r clarinét yn chwarae'r harmoni a'r trombôn yn chwarae'r bas. Mae'r offerynnau llinynnol wedyn yn chwarae'r cordiau y tu ôl gyda'r drwm yn cadw'r rhythm. O fewn y patrwm bydd cyfle i'r offerynwyr i gyd, yn eu tro, chwarae solo gan amrywio'r alaw yn fyrfyfyr. Yna'r band yn gyfan yn cloi gyda'r dôn wreiddiol.

Fe wnaeth modernwyr fel Charlie Parker fynd ati i chwalu'r hen hualau gan fynnu mwy o ryddid, hynny yw, rhyddid mynegiant. Dyma oedd miwsig symudiad y *beats* a'r *hipsters*, sef llanciau gwyn yn

123

Santiago Bo a finne'n perfformio yng nghlwb jazz y Fat Cat yn Port de Pollenca, Mallorca

ceisio efelychu pobol ddu. Roedd e'n cael ei gyfuno'n aml â barddoniaeth a chelf fodern ac fe ddaeth yn gryf iawn yn America ymhlith myfyrwyr y gwahanol golegau a'r deallusol. Ond i fi mae rhywbeth ar goll yn y math yna o gerddoriaeth. Oedd, roedd – ac mae – yr offerynwyr yn feistrolgar ond fydda i ddim yn teimlo'r un elfen o gyfathrebu ag sydd mewn jazz traddodiadol; cyfathrebu nid yn unig rhwng yr offerynwyr a'i gilydd ond hefyd rhwng y band a'r gynulleidfa. Fe fues i'n trafod hyn gyda Humphrey Lyttleton a'i farn ef oedd bod y cyfathrebu hyn yn gweithio'r ddwy ffordd gyda'r band yn codi'r gynulleidfa, ac yna ymateb y gynulleidfa, yn ei dro, yn codi'r band. Dwi ddim yn teimlo fod hyn yn digwydd gyda jazz modern. I fi, rwtsh deallusol yw e.

Mae jazz go iawn yn amlygiad o ddioddefaint y duon: y tristwch yn y blues a'r gobaith sydd yn yr hwyl. Yn 1939, dim ond deg a thrigain o flynyddoedd yn ôl, fe gyfansoddodd Iddew, Abel Meeropol, gân o'r enw 'Strange Fruit'. Fe'i canwyd gan y gantores ddu Billie Holiday a dyma i chi eiriau'r pennill cyntaf:

> Southern trees bear strange fruit,
> Blood on the leaves and blood on the root,
> Black bodies swinging in the southern breeze,
> Strange fruit hanging from the poplar trees.

Ie, cyrff pobl ddu oedd y ffrwythau rhyfedd hyn a oedd yn hongian o ganghennau'r poplys. A phan ganai Billie Holiday o flaen cynulleidfaoedd gwyn doedd ganddi ddim hawl i symud ar y llwyfan. Rhaid oedd iddi hi a chantoresau duon eraill sefyll yn llonydd a chaen nhw ddim chwaith fynd i mewn i'r neuaddau drwy ddrws y ffrynt na thrwy ddrws yr artistiaid. Drwy ddrws y gwasanaethau, drws y masnachwyr, y câi Billie Holiday a'i thebyg fynediad.

Paratowyd adroddiad cymdeithasol yn 1937 ar filwyr duon America, wedi ei seilio ar astudiaeth o'r duon yn unig, ac yn eu disgrifio fel pobol gryfion, hapus, ffyddlon o gael eu bwydo'n foddhaol. Roedden nhw'n caru miwsig ac yn meddu ar synnwyr rhythm a thueddent i fod yn grefyddol. Ac, o'u cyfeirio'n iawn, roedden nhw'n weithgar. Eu gwendidau oedd eu bod yn dueddol o fod yn sarrug ac yn ystyfnig o gael eu trin yn wael. Roedden nhw hefyd yn ddifoesau ac yn gelwyddog. Meddyliwch fod astudiaeth swyddogol yn medru dweud y fath beth am gyd-ddynion. Caen nhw eu hystyried fel pethe, nid pobol. Ac fe weithredwyd ar gasgliadau'r adroddiad hwnnw. Yn y fyddin, peirianwyr a gyrwyr oedd y duon gan mwyaf a doedden nhw byth yn cael swyddi o awdurdod. Ac fe welais i hyn fy hun yn Llanelli adeg y rhyfel.

Dewch i Montgomery, Alabama, yn 1955 – dim ond 54 mlynedd yn ôl. Roedd disgwyl i bobl ddu ildio'u seddi i bobl wynion ar fysys llawn. Ar ddiwrnod hanesyddol, fe wrthododd gwniadyddes ddi-nod, Rosa Parks, â chodi i ildio'i lle i ddyn gwyn. Fe'i dirwywyd hi ddeg dolar, a bu'n rhaid iddi dalu pedair dolar o gostau.

Y flwyddyn wedyn rhyddhawyd y ffilm *High Society* gyda Frank Sinatra, Bing Crosby, Grace Kelly a Louis Armstrong. Pan fyddai Crosby'n cynnal partïon ar gyfer y sêr a'r criw ffilmio fyddai Armstrong, er gwaetha'i enwogrwydd byd-eang, ddim yn cael gwahoddiad am ei fod e'n ddu.

Yn 1957 fe ddewisodd naw o bobl

Pwyso ar y bwa yn St Louis

Gyda'r band presennol – Jeff Salter (tenor sax), Arthur Perry (drymiau), Alan Lodwick (piano) a Ron Davies (bâs)

ifanc dduon herio deddfau addysg annheg Little Rock, Arkansas, a fynnai addysg ar wahân i'r duon a'r gwynion. Ar ôl bygythiadau a chyfreitha hir, llwyddodd y naw i fynd â'r maen i'r wal.

Ychydig dros ddeugain mlynedd sydd ers saethu Martin Luther King, a freuddwydiodd freuddwyd ond a laddwyd cyn iddo gyrraedd Gwlad yr Addewid. Mae 'Strange Fruit' yn mynd ymlaen,

> Pastoral scene of the gallant south,
> The bulging eyes and the twisted mouth,
> Scent of magnolias, sweet and fresh,
> Then the sudden smell of the burning flesh.
>
> Here is fruit for the crows to pluck,
> For the rain to gather, for the wind to suck,
> For the sun to rot, for the trees to drop,
> Here is a strange and bitter crop.

A nawr mae canghennau coed taleithiau Mississippi, Alabama a Tennessee yn noeth o ffrwythau rhyfedd. Does dim arogl cnawd

126

llosg dynol ar y gwynt. Mae dyn du yn y Tŷ Gwyn. Mae breuddwyd Luther King wedi ei gwireddu.

Anghofiwch am y dasg sy'n wynebu Barak Obama. Yr hyn sy'n cyfrif yw ei fod e yno. Ydi, mae e yno. A dyna i chi beth sy'n bwysig. Un o'r profiadau mwyaf diddorol yn ystod fy ymweliad cyntaf ag America yn 1973 oedd mynd gyda Dill i offeren Mary Lou Williams, pianydd *stride* a gâi ei hystyried fel y fenyw fwyaf dylanwadol ym myd jazz. Roedd yr offeren ar ffurf litwrgi yn Eglwys Sant Ignatiws Loyola ar Park Avenue ac 84th Street ar Sul y Blodau a'r cyfan ar ffurf gŵyl ddiolchgarwch gydag offerynwyr a chorau yn clodfori Duw ar ffurf jazz. Yno y clywais i'r deyrnged orau a glywais erioed i bwysigrwydd jazz ym mywyd pobol ac mae'r deyrnged honno, wedi ei hargraffu ar raglen y dydd, gyda fi o hyd. A phan fydd rhywun yn gofyn i fi ddisgrifio jazz, byddaf yn aml yn darllen iddynt yr araith hon sy'n disgrifio jazz fel treftadaeth ysbrydol y bobl.

Meddai'r cyflwyniad:

Dyma ein hunig ffurf gelfyddydol ddilys, wedi'i datblygu'n llawn, a grëwyd yn America. Dyma fiwsig a esgorwyd mewn dioddefaint ac allan o ormes – dioddefaint pobl ddu America. O'r dioddefaint hwn, yn ei ddechreuad, y caiff y miwsig eneidiol hwn, a elwir jazz, y teimlad ysbrydol dwfn a'r grym sydd yn iachusol i'r enaid. Mae jazz yn fiwsig a grëwyd o brofiad dwfn ac eneidiol. Y mae yn fiwsig sy'n gyforiog o drugaredd a chariad. Caiff hefyd ei nodweddu gan y broses greadigol o addasu ac, o ganlyniad, gan ymgom gerddorol rhwng yr offerynwyr sy'n rhan o greu'r gerddoriaeth.

Mae'r gerddoriaeth hon, yn anad yr un arall, yn mynnu bod cerddorion yn ymwneud

Gyda chriw'r Cwpwrdd Dillad, Nia Parry a Sioned Geraint, yn 2007

127

Yn Efrog Newydd gyda'r tyrau enwog yn gefndir, tyrau nad ydynt yno bellach

yn ddwfn â'i gilydd. Rhaid i drugaredd a chariad lifo o'r naill i'r llall fel y gall y teimlad eneidiol o jazz go iawn gael ei greu. Yr eiliad y gwna dwylo offerynnwr gyffwrdd â'i offeryn, bydd syniadau'n cychwyn llifo o'r meddwl drwy'r galon ac allan drwy flaenau'r bysedd. Dyna, o leiaf, sut dylai hi fod. Fe wna eich cyfranogaeth sylwgar a gweddigar, drwy wrando â'ch clustiau ac â'ch calon, ganiatáu i chi lawn fwynhau'r cyfnewidiad y bydd miwsig da bob amser yn ei ddarparu ar gyfer enaid blinedig a chythryblus.

A dyna'r gerddoriaeth a'r gelfyddyd a ddaeth draw i Lanelli gyda milwyr duon America ac a gyfoethogodd fy mywyd innau. Saith deg mlynedd wedi i Billie Holiday recordio 'Strange Fruit' mae dyn Affro-Caribïaidd yn Arlywydd America. Fe fu hi'n siwrnai hir i blant y gaethglud, ac fe wnaeth jazz arwain y ffordd i chwalu'r muriau. Fe geisiais innau ddilyn.